L'Avare

MOLIÈRE

Notes et questionnaires
Jean-Claude LANDAT,
professeur en lycée professionnel

Dossier Bibliocollège
Isabelle de LISLE,
agrégée de Lettres modernes,
professeur en collège

Sommaire

Achevé d'imprimer en Espagne par BlackPrint – Dépôt légal : Août 2015 – Édition : 08 - 30/7784/1
ISBN : 978-201-270613-2

© HACHETTE LIVRE, 2015, 58, rue Jean Bleuzen, CS 70007, 92178 Vanves Cedex.
www.parascolaire.hachette-education.com

❸ | Dossier Bibliocollège

L'essentiel sur l'auteur

Molière est un comédien et un directeur de troupe du XVIIe siècle, époque où deux courants esthétiques rivalisent : le baroque et le classicisme (*cf.* p. 156).

Inspiré de la comédie latine et centré sur le personnage d'Harpagon interprété par Molière, *L'Avare* a été joué au théâtre du Palais-Royal, le 9 septembre 1668.

JEAN-BAPTISTE POQUELIN, dit MOLIÈRE (1622-1673)

Ses contemporains :
• Les Comédiens-Italiens de la *commedia dell'arte*.
• Corneille et Racine, auteurs de tragédies, genre noble.

Les personnalités clés :
• Le prince de Conti et Monsieur, frère du roi, qui seront ses premiers protecteurs.
• Louis XIV, grand défenseur des arts, qui le soutiendra.

Biographie

Molière
est le pseudonyme de Jean-Baptiste Poquelin.
Protégé par le roi Louis XIV, il connaît un grand
succès en écrivant et en jouant des comédies
qui renouvellent le théâtre français.

▶ Une vocation précoce

Fils d'un tapissier du roi, Jean-Baptiste Poquelin
naît à Paris en 1622. Après le décès de sa mère
et le remariage de son père, il entre au collège de
Clermont avant de se tourner vers le droit. Mais le
jeune homme est attiré par le théâtre et ne manque
pas une occasion de voir jouer le comédien italien
Tiberio Fiorelli, dans le rôle de Scaramouche.

▶ Une rencontre déterminante

En 1642, Jean-Baptiste fait la connaissance de
l'actrice Madeleine Béjart et renonce au droit.
L'année suivante, avec la famille Béjart, il fonde
L'Illustre-Théâtre. Les débuts à Paris étant difficiles,
la troupe part sur les routes de France à la recherche
d'un succès qui tarde à venir.

▶ Une vie itinérante

Pendant treize ans, les comédiens vont de ville en
ville, montent et démontent leurs tréteaux. En 1646,
Jean-Baptiste prend le pseudonyme de Molière.

Identité :
Jean-Baptiste
Poquelin,
dit Molière

Naissance :
15 janvier 1622,
à Paris

Décès :
17 février 1673
(à 51 ans), à Paris

Genre pratiqué :
théâtre (comédies
en prose et en vers)

La *commedia dell'arte*

Installés en France depuis le XVIᵉ siècle et très appréciés, les Comédiens-Italiens
privilégient les jeux de scène (les *lazzi*), les acrobaties et l'improvisation. Scaramouche,
vantard et peureux, est un des personnages types de la *commedia dell'arte*.

Pierre Corneille (1606-1684) est, avec Jean Racine (1639-1699), un des grands auteurs de tragédies au XVIIᵉ siècle. Il obtient notamment un grand succès, en 1637, avec sa tragi-comédie *Le Cid*. Molière a joué plusieurs de ses pièces.

Racine écrira *La Thébaïde* (1664) pour la troupe de Molière. Les deux hommes se fâcheront après la vente, par Racine, de sa pièce suivante *Alexandre le Grand* à l'Hôtel de Bourgogne, la troupe rivale de celle de Molière.

▶ « MONSIEUR »

Surnom donné à Philippe d'Orléans, le frère de Louis XIV.

▶ COMÉDIE HÉROÏQUE

Comédie satirique qui met en scène des héros comme dans l'épopée.

Protégée par le prince de Conti puis par le gouverneur de Normandie, la troupe de Molière connaît enfin le succès à Lyon en 1655 avec *L'Étourdi* et, l'année suivante, à Béziers avec *Le Dépit amoureux*. La misère et les voyages fatigants sont oubliés : Molière a bien l'intention de s'imposer à Paris.

▶ **Premiers succès devant Louis XIV**

Le 24 octobre 1658, désireux de s'imposer comme acteur tragique, Molière joue *Nicomède* de Corneille devant le roi et la Cour. Le succès viendra non pas de la tragédie prestigieuse, mais de la petite farce du *Docteur amoureux* qui complète le spectacle. Le roi attribue alors à Molière la salle du Petit-Bourbon où il jouera en alternance avec les Comédiens-Italiens qu'il admire tant.

En 1658, la troupe de Molière est rebaptisée « Troupe de Monsieur », en hommage à son nouveau protecteur. L'année suivante, caricaturant les mondains, la petite comédie *Les Précieuses ridicules* obtient un grand succès. La renommée de Molière est assurée !

▶ **Premières jalousies, premières critiques**

Mais la gloire suscite la jalousie et, mis au défi de composer une comédie héroïque en vers, Molière écrit et met en scène *Dom Garcie de Navarre*. La pièce est un échec, et Molière revient à ses sources d'inspiration comique que sont la farce et la *commedia dell'arte*.

En 1662, il épouse Armande Béjart (fille ou sœur de Madeleine), plus jeune que lui de vingt ans ; il s'impose également avec une comédie en cinq actes et en vers : *L'École des femmes*. Cette pièce sera controversée et Molière prendra sa défense, l'année suivante, dans une petite comédie intitulée *La Critique de L'École des femmes*.

▶ L'interdiction du *Tartuffe* (1664)

La bienveillance de Louis XIV ne suffit pas : en 1664, la comédie en vers *Le Tartuffe*, qui ose s'en prendre aux religieux hypocrites, est interdite dès la première représentation. Molière devra lutter pendant cinq ans (la fameuse « querelle du *Tartuffe* ») pour que sa pièce soit enfin jouée, en 1669.

▶ *Dom Juan*, pièce également censurée (1665)

Entre-temps, Molière doit assurer la survie de sa troupe. Il monte alors rapidement *Dom Juan*, une pièce à grand spectacle sur un thème à la mode. Mais, comme il ne peut s'empêcher de reprendre ses attaques contre la religion et l'hypocrisie qu'il avait lancées l'année passée dans *Le Tartuffe*, la pièce est aussi censurée.

▶ Un succès fragile

Malgré cela, Molière garde la confiance du roi. Travaillant pour la Cour, il se fait moins critique envers la noblesse et la religion avec *Le Misanthrope* (1666) et surtout *L'Avare* (1668), une comédie sombre malgré les nombreux procédés comiques.

Il compose ensuite, en collaboration avec Lully, une comédie-ballet, *Le Bourgeois gentilhomme* (1670), puis renoue avec le théâtre italien en jouant *Les Fourberies de Scapin* en 1671.

Mais sa santé ne cesse de se dégrader. Molière se sent abandonné par ses proches et par le roi, qui lui préfère le compositeur Lully.

▶ La dernière pirouette de l'homme de théâtre

Atteint de tuberculose, Molière fait un malaise sur scène le 17 février 1673, lors de la quatrième représentation du *Malade imaginaire*, une comédie qui s'en prend une fois de plus aux médecins. Il meurt quelques heures plus tard.

▶ LA QUERELLE DU *TARTUFFE*

En se déchaînant contre *Le Tartuffe*, la Compagnie du Saint-Sacrement, une société secrète catholique, dénonce le théâtre jugé dangereusement divertissant. Depuis 1548, il était, en effet, interdit de mettre en scène des épisodes de la Bible.

▶ JEAN-BAPTISTE LULLY

Le musicien Giovanni Battista Lulli (1632-1687), protégé par Louis XIV, marqua profondément la musique baroque. Le menuet du *Bourgeois gentilhomme* est une de ses œuvres les plus célèbres.

Molière s'en prend souvent aux médecins. À travers eux, ce sont tous les ignorants prétentieux qui sont visés.

▶ **Un enterrement secret**

En raison de son métier de comédien, Molière a été exclu de la religion catholique. Il n'est donc pas autorisé à recevoir les sacrements de l'Église, mais l'intervention du roi lui permet cependant d'être enterré religieusement : ses funérailles ont lieu au cimetière parisien de la chapelle Saint-Joseph, de nuit mais en présence de nombreux admirateurs. Depuis 1816, Molière repose au célèbre cimetière du Père-Lachaise à Paris.

Alors que la comédie est considérée comme un genre secondaire au XVIIe siècle, Molière est parvenu à la hisser au rang des grands textes littéraires. Ses pièces, en vers ou en prose, ont influencé le théâtre français et continuent de nous toucher.

▶ **TRAGÉDIE ET COMÉDIE**

Au XVIIe siècle, la tragédie est le genre littéraire le mieux considéré. La comédie, quant à elle, est perçue comme un simple divertissement populaire, sans noblesse. D'ailleurs, les comédies en un acte sont, en général, jouées en complément d'une tragédie.

▶ **À LA COMÉDIE-FRANÇAISE**

De 1680 à 1997, les pièces de Molière y ont été jouées 31 844 fois.

L'AVARE vu par...

GRIMAREST, un des biographes de Molière, citant un spectateur

❝ Molière est-il fou et nous prend-il pour des benêts de nous faire essuyer cinq actes en prose ? A-t-on jamais vu plus d'extravagance ? Le moyen d'être diverti par de la prose ! ❞

ROGER PLANCHON, metteur en scène de *L'Avare*

❝ L'avare peut nous faire rire et nous serrer le cœur parce que le monstre d'égoïsme, qui humilie tous ceux qui l'approchent en raison du pouvoir que lui accorde son argent, est brusquement montré nu. ❞

MOLIÈRE

L'Avare

Personnages

HARPAGON : l'avare.

CLÉANTE : fils d'Harpagon.

ÉLISE : fille d'Harpagon.

VALÈRE : intendant d'Harpagon (en réalité fils de Dom Thomas d'Alburcy).

MARIANE : en réalité fille de Dom Thomas d'Alburcy.

ANSELME : en réalité Dom Thomas d'Alburcy.

FROSINE : femme d'intrigue.

MAÎTRE SIMON : courtier.

MAÎTRE JACQUES : cuisinier et cocher d'Harpagon.

LA FLÈCHE : valet de Cléante.

DAME CLAUDE : servante d'Harpagon.

BRINDAVOINE : laquais d'Harpagon.

LA MERLUCHE : laquais d'Harpagon.

LE COMMISSAIRE ET SON CLERC.

Le théâtre représente une pièce de la maison d'Harpagon, avec une table, des sièges, un coffre, un secrétaire (ameublement cossu). Une porte donne sur la rue, une autre sur le reste de l'appartement ; au fond, une porte-fenêtre donne sur le jardin.

Acte I

SCÈNE 1

VALÈRE, ÉLISE

1 VALÈRE – Hé quoi ? charmante Élise, vous devenez mélanco-
lique, après les obligeantes assurances que vous avez eu la
bonté de me donner de votre foi[1] ? Je vous vois soupirer, hélas !
au milieu de ma joie ! Est-ce du regret, dites-moi, de m'avoir
5 fait heureux, et vous repentez-vous de cet engagement où[2]
mes feux[3] ont pu vous contraindre ?

ÉLISE – Non, Valère, je ne puis pas me repentir de tout ce que je
fais pour vous. Je m'y sens entraîner par une trop douce puissance, et je n'ai pas même la force de souhaiter que les choses
10 ne fussent pas. Mais, à vous dire vrai, le succès[4] me donne de
l'inquiétude ; et je crains fort de vous aimer un peu plus que
je ne devrais.

VALÈRE – Hé ! que pouvez-vous craindre, Élise, dans les bontés
que vous avez pour moi ?

15 ÉLISE – Hélas ! cent choses à la fois : l'emportement d'un père,
les reproches d'une famille, les censures[5] du monde, mais plus

---

Notes

1. **foi** : fidélité à la parole donnée.
2. **où** : auquel.
3. **mes feux** : mon amour.
4. **le succès** : l'issue, le dénouement.
5. **les censures** : la condamnation.

que tout, Valère, le changement de votre cœur, et cette froideur criminelle dont ceux de votre sexe payent le plus souvent les témoignages trop ardents d'une innocente amour.

20 VALÈRE – Ah! ne me faites pas ce tort de juger de moi par les autres. Soupçonnez-moi de tout, Élise, plutôt que de manquer à ce que je vous dois[1] : je vous aime trop pour cela, et mon amour pour vous durera autant que ma vie.

ÉLISE – Ah! Valère, chacun tient les mêmes discours. Tous les
25 hommes sont semblables par les paroles; et ce n'est que les actions qui les découvrent[2] différents.

VALÈRE – Puisque les seules actions font connaître ce que nous sommes, attendez donc au moins à juger de mon cœur par elles, et ne me cherchez point des crimes dans les injustes
30 craintes d'une fâcheuse prévoyance. Ne m'assassinez point, je vous prie, par les sensibles coups d'un soupçon outrageux[3], et donnez-moi le temps de vous convaincre, par mille et mille preuves, de l'honnêteté de mes feux.

ÉLISE – Hélas! qu'avec facilité on se laisse persuader par les
35 personnes que l'on aime! Oui, Valère, je tiens votre cœur incapable de m'abuser[4]. Je crois que vous m'aimez d'un véritable amour, et que vous me serez fidèle; je n'en veux point du tout douter, et je retranche mon chagrin[5] aux appréhensions[6] du blâme qu'on pourra me donner.

40 VALÈRE – Mais pourquoi cette inquiétude?

ÉLISE – Je n'aurais rien à craindre, si tout le monde vous voyait des yeux dont[7] je vous vois, et je trouve en votre personne de quoi avoir raison aux choses[8] que je fais pour vous. Mon cœur, pour sa défense, a tout votre mérite, appuyé du secours

---

1. **manquer à ce que je vous dois** : négliger, oublier ce que je vous dois.
2. **découvrent** : montrent.
3. **outrageux** : insultant, injurieux.
4. **m'abuser** : me tromper.

5. **je retranche mon chagrin** : je limite mon chagrin.
6. **appréhensions** : craintes.
7. **dont** : avec lesquels.
8. **aux choses** : dans les choses.

45 d'une reconnaissance où[1] le Ciel m'engage envers vous. Je me
représente à toute heure ce péril étonnant[2] qui commença de
nous offrir aux regards l'un de l'autre ; cette générosité surpre-
nante qui vous fit risquer votre vie, pour dérober la mienne
à la fureur des ondes[3] ; ces soins pleins de tendresse que vous
50 me fîtes éclater après m'avoir tirée de l'eau, et les hommages
assidus de cet ardent amour que ni le temps ni les difficultés
n'ont rebuté, et qui, vous faisant négliger et parents et patrie,
arrête vos pas en ces lieux, y tient en ma faveur votre fortune[4]
déguisée, et vous a réduit, pour me voir, à vous revêtir de
55 l'emploi de domestique[5] de mon père. Tout cela fait chez moi
sans doute un merveilleux effet ; et c'en est assez à mes yeux
pour me justifier l'engagement où[6] j'ai pu consentir ; mais ce
n'est pas assez peut-être pour le justifier aux autres, et je ne
suis pas sûre qu'on entre dans mes sentiments.

60 VALÈRE – De tout ce que vous avez dit, ce n'est que par mon
seul amour que je prétends auprès de vous mériter quelque
chose ; et quant aux scrupules que vous avez, votre père lui-
même ne prend que trop de soin de vous justifier à tout le
monde ; et l'excès de son avarice, et la manière austère[7] dont
65 il vit avec ses enfants pourraient autoriser des choses plus
étranges. Pardonnez-moi, charmante Élise, si j'en parle ainsi
devant vous. Vous savez que sur ce chapitre on n'en peut pas
dire de bien. Mais enfin, si je puis, comme je l'espère, retrouver mes parents, nous n'aurons pas beaucoup de peine à nous
70 le rendre favorable. J'en attends des nouvelles avec impatience,
et j'en irai chercher moi-même, si elles tardent à venir.

ÉLISE – Ah ! Valère, ne bougez d'ici, je vous prie ; et songez
seulement à vous bien mettre dans l'esprit de mon père.

Notes

1. **où** : à laquelle.
2. **étonnant** : effrayant.
3. **les ondes** : l'eau.
4. **votre fortune** : votre bonne situation sociale.
5. **vous revêtir de l'emploi de domestique** : vous mettre au service de.
6. **où** : auquel.
7. **austère** : sévère, dépouillée.

VALÈRE – Vous voyez comme je m'y prends, et les adroites complaisances[1] qu'il m'a fallu mettre en usage pour m'introduire à son service; sous quel masque de sympathie et de rapports de sentiments je me déguise pour lui plaire, et quel personnage je joue tous les jours avec lui, afin d'acquérir sa tendresse. J'y fais des progrès admirables; et j'éprouve[2] que pour gagner les hommes, il n'est point de meilleure voie que de se parer à leurs yeux de leurs inclinations[3], que de donner dans leurs maximes[4], encenser[5] leurs défauts, et applaudir à ce qu'ils font. On n'a que faire d'avoir peur de trop charger la complaisance[6]; et la manière dont on les joue a beau être visible, les plus fins toujours sont de grandes dupes du côté de la flatterie; et il n'y a rien de si impertinent[7] et de si ridicule qu'on ne fasse avaler lorsqu'on l'assaisonne en louange. La sincérité souffre un peu au métier que je fais; mais quand on a besoin des hommes, il faut bien s'ajuster à eux[8]; et puisqu'on ne saurait les gagner que par là, ce n'est pas la faute de ceux qui flattent, mais de ceux qui veulent être flattés.

ÉLISE – Mais que ne tâchez-vous aussi à gagner l'appui de mon frère, en cas que[9] la servante s'avisât de révéler notre secret?

VALÈRE – On ne peut pas ménager l'un et l'autre; et l'esprit du père et celui du fils sont des choses si opposées, qu'il est difficile d'accommoder[10] ces deux confidences[11] ensemble. Mais vous, de votre part, agissez auprès de votre frère, et servez-vous de l'amitié qui est entre vous deux pour le jeter dans nos

---

Notes

1. **adroites complaisances** : habiles accomodements (adaptations) pour plaire.
2. **j'éprouve** : je me rends compte.
3. **inclinations** : sentiments.
4. **maximes** : principes, avis.
5. **encenser** : flatter.
6. **charger la complaisance** : exagérer les louanges.

7. **impertinent** : contraire aux convenances.
8. **s'ajuster à eux** : s'adapter à eux.
9. **en cas que** : au cas où.
10. **d'accommoder** : de contenter.
11. **ces deux confidences** : la confiance du père et celle du fils.

intérêts. Il vient, je me retire. Prenez ce temps pour lui parler ;
et ne lui découvrez de notre affaire que ce que vous jugerez
à propos.

ÉLISE – Je ne sais si j'aurai la force de lui faire cette confidence.

SCÈNE 2

CLÉANTE, ÉLISE

1   CLÉANTE – Je suis bien aise de vous trouver seule, ma sœur ; et
je brûlais de vous parler, pour m'ouvrir à vous d'un secret.

ÉLISE – Me voilà prête à vous ouïr[1], mon frère. Qu'avez-vous à
me dire ?

5   CLÉANTE – Bien des choses, ma sœur, enveloppées dans un
mot : j'aime.

ÉLISE – Vous aimez ?

CLÉANTE – Oui, j'aime. Mais avant que d'aller plus loin, je sais
que je dépends d'un père, et que le nom de fils me soumet
10 à ses volontés ; que nous ne devons point engager notre foi[2]
sans le consentement de ceux dont nous tenons le jour ; que
le Ciel les a faits les maîtres de nos vœux, et qu'il nous est
enjoint[3] de n'en disposer que par leur conduite[4] ; que n'étant
prévenus[5] d'aucune folle ardeur, ils sont en état de se trom-
15 per bien moins que nous, et de voir beaucoup mieux ce qui
nous est propre ; qu'il en faut plutôt croire les lumières de leur
prudence que l'aveuglement de notre passion ; et que l'emportement de la jeunesse nous entraîne le plus souvent dans des
précipices fâcheux. Je vous dis tout cela, ma sœur, afin que
20 vous ne vous donniez pas la peine de me le dire ; car enfin

---

Notes

1. **ouïr** : écouter.
2. **engager notre foi** : donner notre parole.
3. **enjoint** : ordonné.
4. **conduite** : conseil.
5. **prévenus** : dépendants.

mon amour ne veut rien écouter, et je vous prie de ne me point faire de remontrances[1].

ÉLISE – Vous êtes-vous engagé, mon frère, avec celle que vous aimez ?

CLÉANTE – Non, mais j'y suis résolu ; et je vous conjure encore une fois de ne me point apporter de raisons pour m'en dissuader.

ÉLISE – Suis-je, mon frère, une si étrange personne ?

CLÉANTE – Non, ma sœur ; mais vous n'aimez pas : vous ignorez la douce violence qu'un tendre amour fait sur nos cœurs ; et j'appréhende[2] votre sagesse.

ÉLISE – Hélas ! mon frère, ne parlons point de ma sagesse. Il n'est personne qui n'en manque, du moins une fois sa vie ; et si je vous ouvre mon cœur, peut-être serai-je à vos yeux bien moins sage que vous.

CLÉANTE – Ah ! plût au Ciel que votre âme, comme la mienne…

ÉLISE – Finissons auparavant votre affaire, et me dites[3] qui est celle que vous aimez.

CLÉANTE – Une jeune personne qui loge depuis peu en ces quartiers, et qui semble être faite pour donner de l'amour à tous ceux qui la voient. La nature, ma sœur, n'a rien formé de plus aimable ; et je me sentis transporté dès le moment que je la vis. Elle se nomme Mariane, et vit sous la conduite d'une bonne femme de mère[4], qui est presque toujours malade, et pour qui cette aimable fille a des sentiments d'amitié qui ne sont pas imaginables. Elle la sert, la plaint, et la console avec une tendresse qui vous toucherait l'âme. Elle se prend d'un air le plus charmant du monde aux choses qu'elle fait, et l'on voit briller mille grâces en toutes ses actions : une douceur pleine

Notes

1. remontrances : reproches.
2. j'appréhende : je crains.
3. me dites : dites-moi.

4. une bonne femme de mère : une mère âgée.

50 d'attraits, une bonté toute engageante, une honnêteté adorable, une… Ah! ma sœur, je voudrais que vous l'eussiez vue.

ÉLISE – J'en vois beaucoup mon frère, dans les choses que vous me dites; et pour comprendre ce qu'elle est, il me suffit que vous l'aimez.

55 CLÉANTE – J'ai découvert sous main[1] qu'elles ne sont pas fort accommodées[2], et que leur discrète conduite[3] a de la peine à étendre à[4] tous leurs besoins le bien qu'elles peuvent avoir. Figurez-vous, ma sœur, quelle joie ce peut être que de relever la fortune d'une personne que l'on aime; que de donner
60 adroitement quelques petits secours aux modestes nécessités d'une vertueuse famille; et concevez quel déplaisir ce m'est de voir que, par l'avarice d'un père, je sois dans l'impuissance de goûter cette joie, et de faire éclater à cette belle aucun témoignage de mon amour.

65 ÉLISE – Oui, je conçois assez, mon frère, quel doit être votre chagrin.

CLÉANTE – Ah! ma sœur, il est plus grand qu'on ne peut croire. Car enfin peut-on rien voir de plus cruel que cette rigoureuse épargne[5] qu'on exerce sur nous, que cette sécheresse[6] étrange
70 où l'on nous fait languir? Et que nous servira d'avoir du bien, s'il ne nous vient que dans le temps que[7] nous ne serons plus dans le bel âge d'en jouir, et si pour m'entretenir même il faut que maintenant je m'engage[8] de tous côtés, si je suis réduit avec vous à chercher tous les jours le secours des marchands,
75 pour avoir moyen de porter des habits raisonnables? Enfin j'ai voulu vous parler, pour m'aider à sonder mon père[9] sur les

---

Notes

1. **sous main** : secrètement.
2. **pas fort accommodées** : pas riches.
3. **discrète conduite** : vie modeste.
4. **étendre à** : satisfaire.
5. **rigoureuse épargne** : économies draconiennes imposées.

6. **sécheresse** : grande pauvreté.
7. **que** : où.
8. **je m'engage** : je m'endette.
9. **sonder mon père** : chercher ce que pense mon père.

sentiments où je suis ; et si je l'y trouve contraire, j'ai résolu d'aller en d'autres lieux, avec cette aimable personne, jouir de la fortune que le Ciel voudra nous offrir. Je fais chercher
80 partout pour ce dessein de l'argent à emprunter ; et si vos affaires, ma sœur, sont semblables aux miennes, et qu'il faille que notre père s'oppose à nos désirs, nous le quitterons là tous deux et nous affranchirons[1] de cette tyrannie où nous tient depuis si longtemps son avarice insupportable.

85 ÉLISE – Il est bien vrai que, tous les jours, il nous donne de plus en plus sujet de regretter la mort de notre mère, et que…

CLÉANTE – J'entends sa voix. Éloignons-nous un peu, pour nous achever notre confidence ; et nous joindrons après nos forces pour venir attaquer la dureté de son humeur.

SCÈNE 3

HARPAGON, LA FLÈCHE

1   HARPAGON – Hors d'ici tout à l'heure[2], et qu'on ne réplique pas. Allons, que l'on détale de chez moi, maître juré filou[3], vrai gibier de potence.

LA FLÈCHE, *à part* – Je n'ai jamais rien vu de si méchant que ce
5   maudit vieillard, et je pense, sauf correction[4], qu'il a le diable au corps.

HARPAGON – Tu murmures entre tes dents.

LA FLÈCHE – Pourquoi me chassez-vous ?

HARPAGON – C'est bien à toi, pendard, à me demander des
10 raisons : sors vite, que je ne[5] t'assomme.

LA FLÈCHE – Qu'est-ce que je vous ai fait ?

Notes

1. **affranchir :** libérer.
2. **tout à l'heure :** immédiatement.
3. **maître juré filou :** grand voleur.
4. **sauf correction :** sauf erreur.
5. **que je ne :** avant que je ne.

HARPAGON – Tu m'as fait que je veux que tu sortes.

LA FLÈCHE – Mon maître, votre fils, m'a donné ordre de l'attendre.

15 HARPAGON – Va-t'en l'attendre dans la rue, et ne sois point dans ma maison planté tout droit comme un piquet, à observer ce qui se passe, et faire ton profit de tout. Je ne veux point avoir sans cesse devant moi un espion de mes affaires, un traître, dont les yeux maudits assiègent[1] toutes mes actions, dévorent
20 ce que je possède, et furettent de tous côtés pour voir s'il n'y a rien à voler.

LA FLÈCHE – Comment diantre voulez-vous qu'on fasse pour vous voler ? Êtes-vous un homme volable[2], quand vous renfermez toutes choses, et faites sentinelle jour et nuit ?

25 HARPAGON – Je veux renfermer ce que bon me semble, et faire sentinelle comme il me plaît. Ne voilà pas de mes mouchards[3], qui prennent garde à ce qu'on fait ? *(À part.)* Je tremble qu'il n'ait soupçonné quelque chose de mon argent. *(Haut.)* Ne serais-tu point homme à aller faire courir le bruit que j'ai chez
30 moi de l'argent caché ?

LA FLÈCHE – Vous avez de l'argent caché ?

HARPAGON – Non, coquin, je ne dis pas cela. *(À part.)* J'enrage. *(Haut.)* Je demande si malicieusement tu n'irais point faire courir le bruit que j'en ai.

35 LA FLÈCHE – Hé ! que nous importe que vous en ayez ou que vous n'en ayez pas, si c'est pour nous la même chose ?

HARPAGON – Tu fais le raisonneur. Je te baillerai[4] de ce raisonnement-ci par les oreilles. *(Il lève la main pour lui donner un soufflet[5].)* Sors d'ici, encore une fois.

40 LA FLÈCHE – Hé bien ! je sors.

Notes

1. **assiègent** : surveillent.
2. **volable** : susceptible d'être volé.
3. **mouchards** : espions.
4. **Je te baillerai** : je te donnerai.
5. *un soufflet* : une gifle.

HARPAGON – Attends. Ne m'emportes-tu rien ?

LA FLÈCHE – Que vous emporterais-je ?

HARPAGON – Viens çà[1], que je voie. Montre-moi tes mains.

LA FLÈCHE – Les voilà.

45 HARPAGON – Les autres.

LA FLÈCHE – Les autres ?

HARPAGON – Oui.

LA FLÈCHE – Les voilà.

HARPAGON, *désignant les chausses*[2] – N'as-tu rien mis ici dedans ?

50 LA FLÈCHE – Voyez vous-même.

HARPAGON, *il tâte le bas de ses chausses* – Ces grands hauts-de-chausses sont propres à devenir les receleurs[3] des choses qu'on dérobe et je voudrais qu'on en eût fait pendre quelqu'un.

LA FLÈCHE, *à part* – Ah ! qu'un homme comme cela mériterait
55 bien ce qu'il craint ! et que j'aurais de joie à le voler !

HARPAGON – Euh ?

LA FLÈCHE – Quoi ?

HARPAGON – Qu'est-ce que tu parles de voler ?

LA FLÈCHE – Je dis que vous fouillez bien partout, pour voir si
60 je vous ai volé.

HARPAGON – C'est ce que je veux faire.

Il fouille dans les poches de La Flèche.

LA FLÈCHE, *à part* – La peste soit de l'avarice et des avaricieux !

HARPAGON – Comment ? que dis-tu ?

65 LA FLÈCHE – Ce que je dis ?

HARPAGON – Oui : qu'est-ce que tu dis d'avarice et d'avaricieux ?

Notes

1. **Viens çà** : viens ici.
2. *chausses* : culottes très larges.
3. **receleurs** : cachettes.

LA FLÈCHE – Je dis que la peste soit de l'avarice et des avaricieux!

70 HARPAGON – De qui veux-tu parler?

LA FLÈCHE – Des avaricieux!

HARPAGON – Et qui sont-ils ces avaricieux?

LA FLÈCHE – Des vilains et des ladres[1].

HARPAGON – Mais qui est-ce que tu entends par là?

75 LA FLÈCHE – De quoi vous mettez-vous en peine?

HARPAGON – Je me mets en peine de ce qu'il faut.

LA FLÈCHE – Est-ce que vous croyez que je veux parler de vous?

HARPAGON – Je crois ce que je crois; mais je veux que tu me dises à qui tu parles quand tu dis cela.

80 LA FLÈCHE – Je parle… je parle à mon bonnet.

HARPAGON – Et moi, je pourrais bien parler à ta barrette[2].

LA FLÈCHE – M'empêcherez-vous de maudire les avaricieux?

HARPAGON – Non; mais je t'empêcherai de jaser[3] et d'être insolent. Tais-toi.

85 LA FLÈCHE – Je ne nomme personne.

HARPAGON – Je te rosserai, si tu parles.

LA FLÈCHE – Qui se sent morveux, qu'il se mouche.

HARPAGON – Te tairas-tu?

LA FLÈCHE – Oui, malgré moi.

90 HARPAGON – Ha, ha!

LA FLÈCHE, *lui montrant une des poches de son justaucorps* – Tenez, voilà encore une poche : êtes-vous satisfait?

Notes

1. Des vilains et des ladres : des paysans et des avares.

2. parler à ta barrette : quereller, réprimander (la barrette est le béret plat porté par les laquais).

3. jaser : bavarder, médire.

HARPAGON – Allons, rends-le-moi sans te fouiller[1].

LA FLÈCHE – Quoi ?

95 HARPAGON – Ce que tu m'as pris.

LA FLÈCHE – Je ne vous ai rien pris du tout.

HARPAGON – Assurément ?

LA FLÈCHE – Assurément.

HARPAGON – Adieu : va-t'en à tous les diables.

100 LA FLÈCHE – Me voilà fort bien congédié[2].

HARPAGON – Je te le[3] mets sur ta conscience, au moins. Voilà un pendard de valet qui m'incommode fort, et je ne me plais point à voir ce chien de boiteux-là.

Notes

1. **sans te fouiller** : sans que je te fouille.
2. **congédié** : renvoyé.
3. **le** : ce pronom désigne ici le vol supposé.

Au fil du texte

Questions sur l'acte I, scène 3 (pages 18 à 22)

La scène d'exposition

La scène d'exposition désigne la ou les premières scènes qui donnent des indications sur les lieux et le moment de l'action, les personnages et les liens qui les unissent, l'action qui se prépare. Elles répondent aux questions : *où ? quand ? qui ? pourquoi ?* et créent une attente pour le spectateur ou le lecteur.

QUE S'EST-IL PASSÉ ENTRE-TEMPS ?

1 En quelles circonstances Valère et Élise se sont-ils rencontrés (scène 1)?

2 Par quel stratagème* Valère a-t-il pu rester proche d'Élise (scène 1)?

> *stratagème : ruse habile.

3 Que nous apprend Cléante à propos de Mariane, la jeune femme qu'il aime (scène 2)?

4 Quel obstacle principal Valère et Cléante devront-ils affronter pour parvenir à épouser respectivement Élise et Mariane (scènes 1 et 2)?

5 Résumez en une phrase les deux intrigues* mises en place dans ces deux scènes d'exposition.

> *intrigue : action de la pièce qui se met en place à partir des relations entre les personnages.

AVEZ-VOUS BIEN LU ?

6 Que reproche Harpagon à La Flèche?

7 À partir de cette scène, dressez le portrait d'Harpagon.

8 Ce portrait confirme-t-il ce que nous avons appris aux scènes 1 et 2? Pourquoi?

ÉTUDIER UN THÈME : LA RELATION MAÎTRE ET VALET AU XVIIᵉ SIÈCLE

9 Sur quels tons Harpagon et La Flèche se parlent-ils ? Relevez quelques répliques pour illustrer votre réponse.

10 Quelle image des rapports entre les maîtres et leurs valets au XVIIᵉ siècle cette scène nous offre-t-elle ?

ÉTUDIER LE COMIQUE

> **Les différents procédés comiques**
>
> – Exemples de comique de mots : jurons, jeux de mots, patois, contresens, répétition…
> – Exemples de comique de caractère : avarice, flatterie, cynisme, insolence…
> – Exemples de comique de gestes : coup de bâton, poursuite, chute, soufflet, fouille…
> – Exemples de comique de situation : circonstances embarrassantes, quiproquo…

11 Pour chacun des procédés comiques suivants, choisissez dans la scène un exemple de :

a) comique de mots ;

b) comique d'exagération ou de caractères ;

c) comique de gestes ;

d) comique de situation.

12 Lisez la définition de la farce* et précisez si, selon vous, cette scène relève de ce genre littéraire.

* farce : pièce comique populaire qui utilise pour faire rire des procédés tels que les déguisements, les coups de bâton, le langage familier, voire grossier, les pirouettes, les bouffonneries et autres scènes extravagantes.

MISE EN SCÈNE

13 Quel est le rôle de l'aparté* (lignes 27-28 et ligne 32)?

14 Quel est le rôle des didascalies* pour le metteur en scène et les acteurs?

15 Imaginez d'autres indications que vous donneriez aux acteurs pour qu'ils jouent le passage de la ligne 31 à la ligne 63 (tons, mouvements, déplacements sur la scène, expression des visages, gestes…).

16 Jouez votre propre mise en scène.

*aparté : un personnage s'adresse aux spectateurs sans être entendu des autres personnages. L'aparté est identifiable par les didascalies : à part, bas, doucement.

*didascalies : indications écrites par l'auteur pour la mise en scène.

LIRE L'IMAGE

17 Décrivez la gravure de la page 22 en vous attardant sur l'attitude des deux personnages.

18 Quel moment de la scène représente-t-elle?

19 Quelle réplique de la scène pourrait servir de légende à cette gravure?

SCÈNE 4

ÉLISE, CLÉANTE, HARPAGON

1 HARPAGON – Certes, ce n'est pas une petite peine que de garder chez soi une grande somme d'argent; et bienheureux qui a tout son fait[1] bien placé, et ne conserve seulement que ce qu'il faut pour sa dépense. On n'est pas peu embarrassé à[2] inventer
5 dans toute une maison une cache[3] fidèle; car pour moi, les coffres-forts me sont suspects, et je ne veux jamais m'y fier: je les tiens[4] justement une franche amorce[5] à voleurs, et c'est toujours la première chose que l'on va attaquer. Cependant je ne sais si j'aurais bien fait d'avoir enterré dans mon jardin dix
10 mille écus qu'on me rendit hier. Dix mille écus en or chez soi est une somme assez…

Ici le frère et la sœur paraissent, s'entretenant bas[6].

Ô Ciel! je me serai trahi moi-même: la chaleur m'aura emporté, et je crois que j'ai parlé haut en raisonnant tout seul. Qu'est-ce?

15 CLÉANTE – Rien, mon père.

HARPAGON – Y a-t-il longtemps que vous êtes là?

ÉLISE – Nous ne venons que d'arriver.

HARPAGON – Vous avez entendu…

CLÉANTE – Quoi? mon père.

20 HARPAGON – Là…

ÉLISE – Quoi?

HARPAGON – Ce que je viens de dire.

CLÉANTE – Non.

HARPAGON – Si fait, si fait[7].

Notes

1. **son fait**: son argent.
2. **à**: pour.
3. **une cache**: une cachette.
4. **je les tiens**: je les considère comme.

5. **amorce**: appât.
6. **s'entretenant bas**: discutant tout bas.
7. **si fait**: mais si.

25 ÉLISE – Pardonnez-moi.

HARPAGON – Je vois bien que vous en avez ouï quelques mots. C'est que je m'entretenais en moi-même de la peine qu'il y a aujourd'hui à trouver de l'argent, et je disais qu'il est bienheureux qui peut avoir dix mille écus chez soi.

30 CLÉANTE – Nous feignions à[1] vous aborder, de peur de vous interrompre.

HARPAGON – Je suis bien aise de vous dire cela, afin que vous n'alliez pas prendre les choses de travers et vous imaginer que je dise que c'est moi qui ai dix mille écus.

35 CLÉANTE – Nous n'entrons point dans vos affaires.

HARPAGON – Plût à Dieu que je les eusse, dix mille écus.

CLÉANTE – Je ne crois pas…

HARPAGON – Ce serait une bonne affaire pour moi.

ÉLISE – Ce sont des choses…

40 HARPAGON – J'en aurais bon besoin.

CLÉANTE – Je pense que…

HARPAGON – Cela m'accommoderait[2] fort.

ÉLISE – Vous êtes…

HARPAGON – Et je ne me plaindrais pas, comme je fais, que le
45 temps est misérable.

CLÉANTE – Mon Dieu ! mon père, vous n'avez pas lieu de vous plaindre, et l'on sait que vous avez assez de bien.

HARPAGON – Comment ? j'ai assez de bien ! Ceux qui le disent en ont menti. Il n'y a rien de plus faux ; et ce sont des coquins
50 qui font courir tous ces bruits-là.

ÉLISE – Ne vous mettez point en colère.

Notes

1. **Nous feignions à :** nous craignions de.

2. **m'accommoderait :** me mettrait à l'aise.

HARPAGON – Cela est étrange, que mes propres enfants me trahissent et deviennent mes ennemis !

CLÉANTE – Est-ce être votre ennemi, que de dire que vous avez du bien ?

HARPAGON – Oui : de pareils discours et les dépenses que vous faites seront cause qu'un de ces jours on me viendra chez moi couper la gorge, dans la pensée que je suis tout cousu de pistoles[1].

CLÉANTE – Quelle grande dépense est-ce que je fais ?

HARPAGON – Quelle ? Est-il rien de plus scandaleux que ce somptueux équipage[2] que vous promenez par la ville ? Je querellais[3] hier votre sœur ; mais c'est encore pis. Voilà qui crie vengeance au Ciel ; et à vous prendre depuis les pieds jusqu'à la tête, il y aurait là de quoi faire une bonne constitution[4]. Je vous l'ai dit vingt fois, mon fils, toutes vos manières me déplaisent fort : vous donnez furieusement dans le marquis[5] ; et pour aller ainsi vêtu, il faut bien que vous me dérobiez.

CLÉANTE – Hé ! comment vous dérober ?

HARPAGON – Que sais-je ? Où pouvez-vous donc prendre de quoi entretenir l'état[6] que vous portez ?

CLÉANTE – Moi, mon père ? C'est que je joue ; et comme je suis fort heureux, je mets sur moi tout l'argent que je gagne.

HARPAGON – C'est fort mal fait. Si vous êtes heureux au jeu, vous en devriez profiter, et mettre à honnête intérêt[7] l'argent que vous gagnez, afin de le trouver un jour. Je voudrais bien savoir, sans parler du reste, à quoi servent tous ces rubans

---

Notes

1. **pistole** : unité de monnaie (valant onze livres).
2. **équipage** : costume et laquais.
3. **querellais** : grondais.
4. **constitution** : placement financier.

5. **vous donnez furieusement dans le marquis** : vous vivez comme un marquis.
6. **l'état** : les habits.
7. **mettre à honnête intérêt** : placer à un taux intéressant.

dont vous voilà lardé[1] depuis les pieds jusqu'à la tête, et si une demi-douzaine d'aiguillettes[2] ne suffit pas pour attacher un haut-de-chausses ? Il est bien nécessaire d'employer de l'argent à des perruques, lorsque l'on peut porter des cheveux de son cru[3], qui ne coûtent rien. Je vais gager[4] qu'en perruques et rubans, il y a du moins[5] vingt pistoles ; et vingt pistoles rapportent par année dix-huit livres six sols huit deniers, à ne les placer qu'au denier douze[6].

CLÉANTE – Vous avez raison.

HARPAGON – Laissons cela, et parlons d'autre affaire. Euh ? *(Bas, à part.)* Je crois qu'ils se font signe l'un à l'autre de me voler ma bourse. *(Haut.)* Que veulent dire ces gestes-là ?

ÉLISE – Nous marchandons[7], mon frère et moi, à qui parlera le premier ; et nous avons tous deux quelque chose à vous dire.

HARPAGON – Et moi, j'ai quelque chose aussi à vous dire à tous deux.

CLÉANTE – C'est de mariage, mon père, que nous désirons vous parler.

HARPAGON – Et c'est de mariage aussi que je veux vous entretenir.

ÉLISE – Ah ! mon père !

HARPAGON – Pourquoi ce cri ? Est-ce le mot, ma fille, ou la chose, qui vous fait peur ?

CLÉANTE – Le mariage peut nous faire peur à tous deux, de la façon que vous pouvez l'entendre[8] ; et nous craignons que nos sentiments ne soient pas d'accord avec votre choix.

Notes

1. **lardé** : couvert.
2. **aiguillettes** : lacets qui attachent le haut-de-chausses au pourpoint.
3. **des cheveux de son cru** : ses propres cheveux.
4. **gager** : parier.

5. **du moins** : au moins.
6. **placer au denier douze** : prendre un denier d'intérêt pour douze deniers placés (correspond à un taux de 8,3 %).
7. **Nous marchandons** : nous hésitons.
8. **l'entendre** : le comprendre.

HARPAGON – Un peu de patience. Ne vous alarmez point. Je sais
ce qu'il vous faut à tous deux ; et vous n'aurez ni l'un ni l'autre
aucun lieu de vous plaindre de tout ce que je prétends faire. Et
pour commencer par un bout : avez-vous vu, dites-moi, une
jeune personne appelée Mariane, qui ne loge pas loin d'ici ?

CLÉANTE – Oui, mon père.

HARPAGON, *à Élise* – Et vous ?

ÉLISE – J'en ai ouï parler.

HARPAGON – Comment, mon fils, trouvez-vous cette fille ?

CLÉANTE – Une fort charmante personne.

HARPAGON – Sa physionomie ?

CLÉANTE – Toute honnête, et pleine d'esprit.

HARPAGON – Son air et sa manière ?

CLÉANTE – Admirables, sans doute.

HARPAGON – Ne croyez-vous pas qu'une fille comme cela
mériterait assez que l'on songeât à elle ?

CLÉANTE – Oui, mon père.

HARPAGON – Que ce serait un parti souhaitable ?

CLÉANTE – Très souhaitable.

HARPAGON – Qu'elle a toute la mine de faire un bon ménage[1] ?

CLÉANTE – Sans doute.

HARPAGON – Et qu'un mari aurait satisfaction avec elle ?

CLÉANTE – Assurément.

HARPAGON – Il y a une petite difficulté : c'est que j'ai peur qu'il
n'y ait pas avec elle tout le bien qu'on pourrait prétendre.

CLÉANTE – Ah ! mon père, le bien n'est pas considérable[2],
lorsqu'il est question d'épouser une honnête personne.

Notes

1. **faire un bon ménage** : bien tenir sa maison.

2. **pas considérable** : pas assez important pour être pris en considération.

HARPAGON – Pardonnez-moi, pardonnez-moi. Mais ce qu'il y a à dire, c'est que si l'on n'y trouve pas tout le bien qu'on souhaite, on peut tâcher de regagner cela sur autre chose.

CLÉANTE – Cela s'entend[1].

135 HARPAGON – Enfin je suis bien aise de vous voir dans mes sentiments ; car son maintien honnête et sa douceur m'ont gagné l'âme, et je suis résolu de l'épouser, pourvu que j'y trouve quelque bien.

CLÉANTE – Euh ?

140 HARPAGON – Comment ?

CLÉANTE – Vous êtes résolu, dites-vous… ?

HARPAGON – D'épouser Mariane.

CLÉANTE – Qui, vous ? vous ?

HARPAGON – Oui, moi, moi, moi. Que veut dire cela ?

145 CLÉANTE – Il m'a pris tout à coup un éblouissement, et je me retire d'ici.

HARPAGON – Cela ne sera rien. Allez vite boire dans la cuisine un grand verre d'eau claire. Voilà de mes damoiseaux flouets[2], qui n'ont non plus de vigueur que[3] des poules. C'est
150 là, ma fille, ce que j'ai résolu pour moi. Quant à ton frère, je lui destine une certaine veuve dont ce matin on m'est venu parler ; et pour toi, je te donne au seigneur Anselme.

ÉLISE – Au seigneur Anselme.

HARPAGON – Oui, un homme mûr, prudent et sage, qui n'a pas
155 plus de cinquante ans, et dont on vante les grands biens.

ÉLISE, *elle fait une révérence* – Je ne veux point me marier, mon père, s'il vous plaît.

Notes

1. **Cela s'entend** : cela se comprend.
2. **damoiseaux flouets** : jeunes gens fragiles.

3. **non plus… que** : pas plus… que.

HARPAGON, *il contrefait sa révérence* — Et moi, ma petite fille, ma mie[1], je veux que vous vous mariiez, s'il vous plaît.

160 ÉLISE — Je vous demande pardon, mon père.

HARPAGON — Je vous demande pardon, ma fille.

ÉLISE — Je suis très humble servante au seigneur Anselme; mais, avec votre permission, je ne l'épouserai point.

HARPAGON — Je suis votre très humble valet; mais, avec votre
165 permission, vous l'épouserez dès ce soir.

ÉLISE — Dès ce soir?

HARPAGON — Dès ce soir.

ÉLISE — Cela ne sera pas, mon père.

HARPAGON — Cela sera, ma fille.

170 ÉLISE — Non.

HARPAGON — Si.

ÉLISE — Non, vous dis-je.

HARPAGON — Si, vous dis-je.

ÉLISE — C'est une chose où[2] vous ne me réduirez point.

175 HARPAGON — C'est une chose où je te réduirai.

ÉLISE — Je me tuerai plutôt que d'épouser un tel mari.

HARPAGON — Tu ne te tueras point, et tu l'épouseras. Mais voyez quelle audace! A-t-on jamais vu une fille parler de la sorte à son père?

180 ÉLISE — Mais a-t-on jamais vu un père marier sa fille de la sorte?

HARPAGON — C'est un parti où[3] il n'y a rien à redire; et je gage que tout le monde approuvera mon choix.

ÉLISE — Et moi, je gage qu'il ne saurait être approuvé d'aucune personne raisonnable.

Notes

1. ma mie : mon amie.
2. où : à laquelle.

3. où : auquel.

185 HARPAGON – Voilà Valère : veux-tu qu'entre nous deux nous le fassions juge de cette affaire ?

ÉLISE – J'y consens.

HARPAGON – Te rendras-tu à son jugement ?

ÉLISE – Oui, j'en passerai par ce qu'il dira.

190 HARPAGON – Voilà qui est fait.

SCÈNE 5

VALÈRE, HARPAGON, ÉLISE

1 HARPAGON – Ici, Valère. Nous t'avons élu[1] pour nous dire qui a raison, de ma fille ou de moi.

VALÈRE – C'est vous, monsieur, sans contredit[2].

HARPAGON – Sais-tu bien de quoi nous parlons ?

5 VALÈRE – Non ; mais vous ne sauriez avoir tort, et vous êtes toute raison.

HARPAGON – Je veux ce soir lui donner pour époux un homme aussi riche que sage ; et la coquine me dit au nez qu'elle se moque de le prendre[3]. Que dis-tu de cela ?

10 VALÈRE – Ce que j'en dis ?

HARPAGON – Oui.

VALÈRE – Eh, eh.

HARPAGON – Quoi ?

VALÈRE – Je dis que dans le fond je suis de votre sentiment ; et
15 vous ne pouvez pas que vous n'ayez raison[4]. Mais aussi n'a-t-elle pas tort tout à fait, et…

1. **élu** : désigné.
2. **sans contredit** : sans aucun doute.
3. **elle se moque de le prendre** : elle n'en veut pas.

4. **vous ne pouvez pas que vous n'ayez raison** : il est impossible que vous n'ayez pas raison.

HARPAGON – Comment? le seigneur Anselme est un parti considérable[1]; c'est un gentilhomme qui est noble, doux, posé, sage, et fort accommodé[2], et auquel il ne reste aucun enfant de son premier mariage. Saurait-elle mieux rencontrer?

VALÈRE – Cela est vrai. Mais elle pourrait vous dire que c'est un peu précipiter les choses, et qu'il faudrait au moins quelque temps pour voir si son inclination[3] pourra s'accommoder avec…

HARPAGON – C'est une occasion qu'il faut prendre vite aux cheveux. Je trouve ici un avantage qu'ailleurs je ne trouverais pas, et il s'engage à la prendre sans dot[4].

VALÈRE – Sans dot?

HARPAGON – Oui.

VALÈRE – Ah! je ne dis plus rien. Voyez-vous? voilà une raison tout à fait convaincante; il se faut rendre à cela.

HARPAGON – C'est pour moi une épargne considérable.

Élise, très tendue, assiste à la discussion opposant, au sujet de son mariage, son père et Valère (illustration de 1891).

Notes

1. **un parti considérable** : un prétendant (au mariage) riche, de bonne condition sociale.
2. **accommodé** : riche.
3. **inclination** : sentiment.
4. **dot** : biens qu'une femme offre à son mari lors de son mariage.

VALÈRE – Assurément, cela ne reçoit point de contradiction[1]. Il est vrai que votre fille vous peut représenter[2] que le mariage est une plus grande affaire qu'on ne peut croire, qu'il y va d'être heureux ou malheureux toute sa vie ; et qu'un engagement qui doit durer jusqu'à la mort ne se doit jamais faire qu'avec de grandes précautions.

HARPAGON – Sans dot.

VALÈRE – Vous avez raison : voilà qui décide tout, cela s'entend. Il y a des gens qui pourraient vous dire qu'en de telles occasions l'inclination d'une fille est une chose sans doute où l'on doit avoir de l'égard[3] ; et que cette grande inégalité d'âge, d'humeur et de sentiments rend un mariage sujet à des accidents très fâcheux.

HARPAGON – Sans dot.

VALÈRE – Ah ! il n'y a pas de réplique à cela : on le sait bien ; qui diantre peut aller là contre ? Ce n'est pas qu'il n'y ait quantité de pères qui aimeraient mieux ménager la satisfaction de leurs filles que l'argent qu'ils pourraient donner ; qui ne les voudraient point sacrifier à l'intérêt, et chercheraient plus que toute autre chose à mettre dans un mariage cette douce conformité qui sans cesse y maintient l'honneur, la tranquillité et la joie, et que…

HARPAGON – Sans dot.

VALÈRE – Il est vrai : cela ferme la bouche à tout, SANS DOT. Le moyen de résister à une raison comme celle-là ?

HARPAGON, *il regarde vers le jardin* – *(À part.)* Ouais ! il me semble que j'entends un chien qui aboie. N'est-ce point qu'on en voudrait à mon argent ? *(À Valère.)* Ne bougez, je reviens tout à l'heure. *Il sort.*

Notes

1. **cela ne reçoit point de contradiction :** cela n'admet pas d'opposition.
2. **représenter :** objecter, répondre.

3. **où l'on doit avoir de l'égard :** dont on doit tenir compte.

ÉLISE – Vous moquez-vous, Valère, de lui parler comme vous faites ?

VALÈRE – C'est pour ne point l'aigrir[1], et pour en venir mieux à bout. Heurter de front ses sentiments est le moyen de tout gâter ; et il y a de certains esprits qu'il ne faut prendre qu'en biaisant[2], des tempéraments ennemis de toute résistance, des naturels rétifs[3], que la vérité fait cabrer[4], qui toujours se raidissent contre le droit chemin de la raison, et qu'on ne mène qu'en tournant[5] où l'on veut les conduire. Faites semblant de consentir à ce qu'il veut, vous en viendrez mieux à vos fins, et…

ÉLISE – Mais ce mariage, Valère ?

VALÈRE – On cherchera des biais pour le rompre.

ÉLISE – Mais quelle invention trouver, s'il se doit conclure ce soir ?

VALÈRE – Il faut demander un délai, et feindre quelque maladie.

ÉLISE – Mais on découvrira la feinte, si l'on appelle des médecins.

VALÈRE – Vous moquez-vous ? Y connaissent-ils quelque chose ? Allez, allez, vous pourrez avec eux avoir quel mal il vous plaira, ils vous trouveront des raisons pour vous dire d'où cela vient.

HARPAGON, *à part, en rentrant* – Ce n'est rien, Dieu merci.

VALÈRE – Enfin notre dernier recours, c'est que la fuite nous peut mettre à couvert de tout ; et si votre amour, belle Élise, est capable d'une fermeté… *(Il aperçoit Harpagon.)* Oui, il faut qu'une fille obéisse à son père. Il ne faut point qu'elle regarde comme un mari est fait ; et lorsque la grande raison de SANS DOT s'y rencontre, elle doit être prête à prendre tout ce qu'on lui donne.

Notes

1. **l'aigrir** : l'agacer, l'énerver.
2. **biaisant** : rusant par l'emploi de moyens détournés.
3. **rétifs** : récalcitrants, rebelles.

4. **cabrer** : se rebiffer, s'opposer.
5. **en tournant** : en utilisant des moyens détournés.

HARPAGON – Bon. Voilà bien parlé, cela.

100 VALÈRE – Monsieur, je vous demande pardon si je m'emporte un peu, et prends la hardiesse de lui parler comme je fais.

HARPAGON – Comment? J'en suis ravi, et je veux que tu prennes sur elle un pouvoir absolu. *(À Élise.)* Oui, tu as beau fuir. Je lui donne l'autorité que le Ciel me donne sur toi, et 105 j'entends que tu fasses tout ce qu'il te dira.

VALÈRE – Après cela, résistez à mes remontrances. Monsieur, je vais la suivre, pour lui continuer les leçons que je lui faisais.

HARPAGON – Oui, tu m'obligeras[1]. Certes…

VALÈRE – Il est bon de lui tenir un peu la bride haute[2].

110 HARPAGON – Cela est vrai. Il faut…

VALÈRE – Ne vous mettez pas en peine. Je crois que j'en viendrai à bout.

HARPAGON – Fais, fais. Je m'en vais faire un petit tour en ville, et reviens tout à l'heure.

115 VALÈRE – Oui, l'argent est plus précieux que toutes les choses du monde, et vous devez rendre grâces au Ciel de l'honnête homme de père qu'il vous a donné. Il sait ce que c'est que de vivre. Lorsqu'on s'offre de prendre une fille sans dot, on ne doit point regarder plus avant. Tout est renfermé là-dedans, 120 et SANS DOT tient lieu de beauté, de jeunesse et de naissance, d'honneur, de sagesse et de probité[3].

HARPAGON – Ah! le brave garçon! Voilà parlé comme un oracle[4]. Heureux qui peut avoir un domestique de la sorte!

Notes
1. **tu m'obligeras** : tu me rendras service.
2. **lui tenir la bride haute** : la surveiller de près.
3. **probité** : honnêteté.
4. **oracle** : qui transmet les conseils des dieux.

Cette gravure réalisée pour l'édition de 1863
(J. Staal d'après F. Delannoy) exprime toute la tyrannie
qu'exerce l'Avare sur ses proches.

Au fil du texte
Questions sur l'acte I, scène 5 (pages 33 à 37)

QUE S'EST-IL PASSÉ ENTRE-TEMPS ?

1 De quelles décisions Harpagon informe-t-il ses enfants à la scène 4 ?

2 Comment Élise et Cléante réagissent-ils à ces décisions ?

3 Quelles sont les conséquences de ce coup de théâtre* pour l'intrigue* ?

> *coup de théâtre* : événement inattendu qui modifie brutalement le cours de l'intrigue.
>
> *intrigue* : action de la pièce qui se met en place à partir des relations entre les personnages.

LIRE L'IMAGE

4 Identifiez et décrivez les deux personnages représentés au premier plan de la gravure de la page 9.

5 Quels sentiments laissent transparaître l'expression des visages et les attitudes de ces deux personnages ?

6 Quelles répliques de la scène 4 pourraient servir de légende ?

AVEZ-VOUS BIEN LU ?

7 Pourquoi Élise et Harpagon font-ils appel à Valère ?

8 Qu'est-ce qui explique l'embarras de Valère ?

9 Harpagon a-t-il raison de penser que Valère est un « *brave garçon* » (ligne 122) ?

ÉTUDIER L'EMPLOI DU CONDITIONNEL (L. 22 À 63)

10 Relevez dans cet extrait tous les verbes conjugués au conditionnel présent et donnez leur infinitif.

⑪ Qu'est-ce qui justifie l'emploi de ce mode ?

⑫ Quel est l'intérêt pour Valère d'utiliser ce procédé ?

ÉTUDIER L'ARGUMENTATION

⑬ Relevez les arguments* fournis par Harpagon pour justifier son choix d'Anselme comme époux pour sa fille.

> *** arguments :** dans un propos argumentatif, raisons qui justifient l'idée que l'on défend.

⑭ Relevez les arguments avancés par Valère.

⑮ Comment Valère réussit-il à ne pas s'opposer directement à Harpagon ?

ÉTUDIER LE COMIQUE

⑯ Parmi les procédés comiques utilisés au cours de cette scène, relevez des exemples :

a) d'ironie* ;

b) de répétition ;

c) de flatterie.

> *** ironie :** procédé qui consiste à faire comprendre le contraire de ce que l'on dit.

À VOS PLUMES !

⑰ Au cours de cette scène, deux conceptions du mariage s'opposent : le mariage d'amour et le mariage d'intérêt. Exposez votre conception du mariage en opposant, par exemple, mariage et union libre. Comme Valère, vous donnerez fictivement la parole à vos contradicteurs en introduisant leurs propos par des verbes conjugués au conditionnel présent.

MISE EN SCÈNE

⑱ Repérez dans la scène les passages où l'expression « *sans dot* » est prononcée par Harpagon et Valère.

⑲ Pour chaque cas, indiquez aux acteurs une expression du visage et un ton de réplique. Justifiez vos choix.

Acte II

SCÈNE 1

CLÉANTE, LA FLÈCHE

1 CLÉANTE – Ah! traître que tu es, où t'es-tu donc allé fourrer?
Ne t'avais-je pas donné ordre…

LA FLÈCHE – Oui, monsieur, et je m'étais rendu ici pour vous
attendre de pied ferme; mais monsieur votre père, le plus
5 malgracieux[1] des hommes, m'a chassé dehors malgré moi[2], et
j'ai couru risque d'être battu.

CLÉANTE – Comment va notre affaire? Les choses pressent plus
que jamais; et depuis que je ne t'ai vu, j'ai découvert que mon
père est mon rival.

10 LA FLÈCHE – Votre père amoureux?

CLÉANTE – Oui; et j'ai eu toutes les peines du monde à lui
cacher le trouble où cette nouvelle m'a mis.

LA FLÈCHE – Lui, se mêler d'aimer! De quoi diable s'avise-t-il[3]?
Se moque-t-il du monde? Et l'amour a-t-il été fait pour des
15 gens bâtis comme lui?

---

1. malgracieux : qui manque d'élégance.
2. malgré moi : contre mon gré, contre
ma volonté.

3. De quoi diable s'avise-t-il : qu'est-ce
qui lui prend? De quoi se mêle-t-il?

CLÉANTE – Il a fallu, pour mes péchés[1], que cette passion lui soit venue en tête.

LA FLÈCHE – Mais par quelle raison lui faire un mystère de votre amour ?

20 CLÉANTE – Pour lui donner moins de soupçon, et me conserver au besoin des ouvertures[2] plus aisées pour détourner ce mariage. Quelle réponse t'a-t-on faite ?

LA FLÈCHE – Ma foi ! monsieur, ceux qui empruntent sont bien malheureux ; et il faut essuyer[3] d'étranges choses lorsqu'on
25 est réduit à passer, comme vous, par les mains des fesse-mathieux[4].

CLÉANTE – L'affaire ne se fera point ?

LA FLÈCHE – Pardonnez-moi. Notre maître Simon, le courtier[5] qu'on nous a donné, homme agissant et plein de zèle, dit qu'il
30 a fait rage pour vous[6] ; et il assure que votre seule physionomie lui a gagné le cœur.

CLÉANTE – J'aurai les quinze mille francs que je demande ?

LA FLÈCHE – Oui ; mais à quelques petites conditions, qu'il faudra que vous acceptiez, si vous avez dessein[7] que les choses se
35 fassent.

CLÉANTE – T'a-t-il fait parler à celui qui doit prêter l'argent ?

LA FLÈCHE – Ah ! vraiment, cela ne va pas de la sorte. Il apporte encore plus de soin à se cacher que vous, et ce sont des mystères bien plus grands que vous ne pensez. On ne veut point
40 du tout dire son nom, et l'on doit aujourd'hui l'aboucher[8] avec vous, dans une maison empruntée, pour être instruit, par

---

Notes

1. **pour mes péchés** : pour me punir de mes péchés.
2. **des ouvertures** : des moyens d'action.
3. **il faut essuyer** : il faut subir.
4. **fesse-mathieux** : usuriers, avares .

5. **courtier** : agent, intermédiaire.
6. **il a fait rage pour vous** : il s'est donné beaucoup de mal.
7. **si vous avez dessein** : si votre but est.
8. **aboucher** : mettre en relation.

votre bouche, de votre bien et de votre famille ; et je ne doute point que le seul nom de votre père ne rende les choses faciles.

CLÉANTE – Et principalement notre mère étant morte, dont on ne peut m'ôter le bien.

LA FLÈCHE – Voici quelques articles qu'il a dictés lui-même à notre entremetteur, pour vous être montrés avant que de rien faire[1].

Supposé que le prêteur voie toutes ses sûretés[2], et que l'emprunteur soit majeur, et d'une famille où le bien soit ample, solide, assuré, clair, et net de tout embarras[3], on fera une bonne et exacte obligation[4] par-devant un notaire, le plus honnête homme qu'il se pourra, et qui, pour cet effet, sera choisi par le prêteur, auquel il importe le plus que l'acte soit dûment dressé.

CLÉANTE – Il n'y a rien à dire à cela.

LA FLÈCHE – *Le prêteur, pour ne charger sa conscience d'aucun scrupule, prétend ne donner son argent qu'au denier dix-huit[5].*

CLÉANTE – Au denier dix-huit ? Parbleu ! voilà qui est honnête. Il n'y a pas lieu de se plaindre.

LA FLÈCHE – Cela est vrai.

Mais comme ledit prêteur n'a pas chez lui la somme dont il est question, et que pour faire plaisir à l'emprunteur, il est contraint lui-même de l'emprunter d'un autre, sur le pied du denier cinq[6], il conviendra que ledit premier emprunteur paye cet intérêt, sans préjudice du reste[7], attendu que ce n'est que pour l'obliger que ledit prêteur s'engage à cet emprunt.

---

1. avant que de rien faire : avant toute action.
2. *ses sûretés* : ses garanties.
3. *net de tout embarras* : sans aucune dette.
4. *obligation* : reconnaissance de dette.

5. *au denier dix-huit* : un denier d'intérêt pour dix-huit prêtés (proche du taux légal : 5,5 %).
6. *au denier cinq* : 20 %.
7. *sans préjudice du reste* : sans parler des 20 % déjà dus.

CLÉANTE – Comment diable! quel Juif, quel Arabe[1] est-ce là? C'est plus qu'au denier quatre[2].

LA FLÈCHE – Il est vrai: c'est ce que j'ai dit. Vous avez à voir là-dessus.

CLÉANTE – Que veux-tu que je voie? J'ai besoin d'argent; et il faut bien que je consente à tout.

LA FLÈCHE – C'est la réponse que j'ai faite.

CLÉANTE – Il y a encore quelque chose?

LA FLÈCHE – Ce n'est plus qu'un petit article.

Des quinze mille francs qu'on demande, le prêteur ne pourra compter en argent que douze mille livres, et pour les mille écus restants, il faudra que l'emprunteur prenne les hardes, nippes et bijoux dont s'ensuit le mémoire[3], et que ledit prêteur a mis, de bonne foi, au plus modique[4] prix qu'il lui a été possible.

CLÉANTE – Que veut dire cela?

LA FLÈCHE – Écoutez le mémoire.

Premièrement un lit de quatre pieds, à bandes de points de Hongrie[5], appliquées fort proprement[6] sur un drap de couleur d'olive, avec six chaises et la courte-pointe[7] de même; le tout bien conditionné[8], et doublé d'un petit taffetas[9] changeant rouge et bleu.

Plus, un pavillon à queue[10], d'une bonne serge[11] d'Aumale rose-sèche, avec le mollet[12] et les franges de soie.

CLÉANTE – Que veut-il que je fasse de cela?

Notes

1. **quel Juif, quel Arabe** : quel avare, quel tyran (expression injurieuse au XVIIe siècle).
2. **au denier quatre** : 25 %.
3. *hardes, nippes et bijoux dont s'ensuit le mémoire* : vêtements, linges et bijoux dont la liste suit.
4. *modique* : faible.
5. *points de Hongrie* : points de broderie.
6. *proprement* : avec élégance.
7. *courte-pointe* : couverture, couvre-pieds.
8. *bien conditionné* : en bon état.
9. *taffetas* : étoffe de soie.
10. *pavillon à queue* : garniture de lit en forme de tente du plafond au plancher.
11. *serge* : tissu de laine.
12. *mollet* : frange ornant les étoffes d'ameublement.

90   LA FLÈCHE – Attendez.

Plus, une tenture de tapisserie des amours de Gombaud et de Macée[1].

Plus, une grande table de bois de noyer, à douze colonnes ou piliers tournés, qui se tire par les deux bouts, et garnie par le dessous de ses six escabelles[2].

95   CLÉANTE – Qu'ai-je affaire, morbleu… ?

LA FLÈCHE – Donnez-vous patience.

Plus, trois gros mousquets[3] tout garnis de nacre[4] de perles, avec les trois fourchettes[5] assortissantes.

Plus, un fourneau de brique, avec deux cornues[6], et trois récipients,
100   *fort utiles à ceux qui sont curieux de distiller.*

CLÉANTE – J'enrage.

LA FLÈCHE – Doucement.

Plus, un luth[7] de Bologne, garni de toutes ses cordes, ou peu s'en faut.

Plus, un trou-madame[8] et un damier, avec un jeu de l'oie renouvelé
105   *des Grecs, fort propres à passer le temps lorsque l'on n'a que faire.*

Plus, une peau d'un lézard, de trois pieds et demi, remplie de foin, curiosité agréable pour pendre au plancher d'une chambre.

Le tout, ci-dessus mentionné, valant loyalement plus de quatre mille cinq cents livres, et rabaissé à la valeur de mille écus, par la discrétion[9]
110   *du prêteur.*

Notes

1. *tenture de tapisserie des amours de Gombaud et de Macée* : tapisserie de huit panneaux représentant une scène pastorale.
2. *escabelles* : escabeaux, au sens de « tabourets ».
3. *mousquets* : anciennes armes à feu portatives.
4. *nacre* : substance naturelle dont sont faites les perles.

5. *fourchette* : pique fourchue servant à supporter le lourd mousquet pour ajuster le tir.
6. *cornues* : récipients servant à distiller l'alcool.
7. *luth* : ancien instrument de musique à cordes pincées.
8. *un trou-madame* : un genre de billard consistant à faire rouler treize petites boules dans autant de trous.
9. *discrétion* : modération, retenue.

CLÉANTE – Que la peste l'étouffe avec sa discrétion, le traître, le bourreau qu'il est! A-t-on jamais parlé d'une usure[1] semblable? Et n'est-il pas content du furieux intérêt qu'il exige, sans vouloir encore m'obliger à prendre pour trois mille livres les vieux rogatons[2] qu'il ramasse? Je n'aurai pas deux cents écus de tout cela; et cependant il faut bien me résoudre à consentir à ce qu'il veut; car il est en état de me faire tout accepter, et il me tient, le scélérat, le poignard sur la gorge.

LA FLÈCHE – Je vous vois, monsieur, ne vous en déplaise, dans le grand chemin justement que tenait Panurge[3] pour se ruiner, prenant argent d'avance, achetant cher, vendant à bon marché, et mangeant son blé en herbe[4].

CLÉANTE – Que veux-tu que j'y fasse? Voilà où les jeunes gens sont réduits par la maudite avarice des pères; et on s'étonne après cela que les fils souhaitent qu'ils meurent.

LA FLÈCHE – Il faut avouer que le vôtre animerait contre sa vilanie[5] le plus posé homme du monde. Je n'ai pas, Dieu merci, les inclinations fort patibulaires[6], et parmi mes confrères que je vois se mêler de beaucoup de petits commerces, je sais tirer adroitement mon épingle du jeu, et me démêler prudemment de toutes les galanteries[7] qui sentent tant soit peu l'échelle[8]; mais, à vous dire vrai, il me donnerait, par ses procédés, des tentations de le voler; et je croirais, en le volant, faire une action méritoire[9].

CLÉANTE – Donne-moi un peu ce mémoire, que je le voie encore.

Notes

1. **usure** : prise d'intérêt à taux trop fort.
2. **rogatons** : objets sans valeur.
3. **Panurge** : personnage de *Pantagruel*, œuvre de Rabelais.
4. **mangeant son blé en herbe** : dépensant son argent avant de l'avoir gagné (métaphore).
5. **sa vilanie** : son avarice.

6. **les inclinations fort patibulaires** : des tendances louches et malhonnêtes.
7. **les galanteries** : les intrigues pas très honnêtes.
8. **l'échelle** : l'échelle du gibet, c'est-à-dire la pendaison.
9. **une action méritoire** : une bonne action.

SCÈNE 2

MAÎTRE SIMON, HARPAGON, CLÉANTE, LA FLÈCHE

1 MAÎTRE SIMON – Oui, monsieur, c'est un jeune homme qui a besoin d'argent. Ses affaires le pressent d'en trouver, et il en passera par tout ce que vous en prescrirez.

HARPAGON – Mais croyez-vous, maître Simon, qu'il n'y ait rien
5 à péricliter[1]? et savez-vous le nom, les biens, et la famille de celui pour qui vous parlez?

MAÎTRE SIMON – Non, je ne puis pas bien vous en instruire à fond, et ce n'est que par aventure que l'on m'a adressé à lui; mais vous serez de toutes choses éclairci par lui-même; et
10 son homme[2] m'a assuré que vous serez content, quand vous le connaîtrez. Tout ce que je saurais vous dire, c'est que sa famille est fort riche, qu'il n'a plus de mère déjà, et qu'il s'obligera[3], si vous voulez, que son père mourra avant qu'il soit huit mois.

15 HARPAGON – C'est quelque chose que cela. La charité, maître Simon, nous oblige à faire plaisir aux personnes, lorsque nous le pouvons.

MAÎTRE SIMON – Cela s'entend[4].

LA FLÈCHE, *bas à Cléante* – Que veut dire ceci? Notre maître
20 Simon qui parle à votre père.

CLÉANTE – Lui aurait-on appris qui je suis? et serais-tu pour nous trahir[5]?

---

1. **qu'il n'y ait rien à péricliter** : qu'il n'y ait aucun risque à courir.
2. **son homme** : son agent, son mandataire.

3. **il s'obligera** : il s'engagera à.
4. **Cela s'entend** : c'est évident.
5. **serais-tu pour nous trahir ?** : nous trahirais-tu ?

MAÎTRE SIMON – Ah ! ah ! vous êtes bien pressés ! Qui vous a dit que c'était céans[1] ? *(À Harpagon.)* Ce n'est pas moi, monsieur, au moins, qui leur ai découvert votre nom et votre logis : mais, à mon avis, il n'y a pas grand mal à cela. Ce sont des personnes discrètes, et vous pouvez ici vous expliquer ensemble.

HARPAGON – Comment ?

MAÎTRE SIMON – Monsieur est la personne qui veut vous emprunter les quinze mille livres dont je vous ai parlé.

HARPAGON – Comment, pendard ! c'est toi qui t'abandonnes à ces coupables extrémités[2] ?

CLÉANTE – Comment mon père ? c'est vous qui vous portez à ces honteuses actions ?

Maître Simon et La Flèche sortent.

HARPAGON – C'est toi qui te veux ruiner par des emprunts si condamnables ?

CLÉANTE – C'est vous qui cherchez à vous enrichir par des usures si criminelles ?

HARPAGON – Oses-tu bien, après cela, paraître devant moi ?

CLÉANTE – Osez-vous bien, après cela, vous présenter aux yeux du monde ?

HARPAGON – N'as-tu point de honte, dis-moi, d'en venir à ces débauches-là ? de te précipiter dans des dépenses effroyables ? et de faire une honteuse dissipation[3] du bien que tes parents t'ont amassé avec tant de sueurs ?

CLÉANTE – Ne rougissez-vous point de déshonorer votre condition par les commerces que vous faites ? de sacrifier gloire[4] et

---

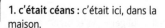

1. c'était céans : c'était ici, dans la maison.
2. ces coupables extrémités : il s'agit des emprunts, actes des plus punissables pour Harpagon.

3. dissipation : dispersion des biens par la dépense.
4. gloire : bonne renommée.

réputation au désir insatiable[1] d'entasser écu sur écu, et de renchérir[2], en fait d'intérêts, sur les plus infâmes subtilités qu'aient jamais inventées les plus célèbres usuriers ?

HARPAGON – Ôte-toi de mes yeux, coquin ! ôte-toi de mes yeux !

CLÉANTE – Qui est plus criminel, à votre avis, ou celui qui achète un argent dont il a besoin, ou bien celui qui vole un argent dont il n'a que faire ?

HARPAGON – Retire-toi, te dis-je, et ne m'échauffe pas les oreilles. *(Seul.)* Je ne suis pas fâché de cette aventure ; et ce m'est un avis de tenir l'œil, plus que jamais, sur toutes ses actions.

L'Usurier (gravure de Le Plautre).

Notes

1. insatiable : qu'on ne peut jamais satisfaire.

2. renchérir : rajouter, faire plus.

Au fil du texte

Questions sur l'acte II, scène 2 (pages 47 à 49)

QUE S'EST-IL PASSÉ ENTRE-TEMPS ?

1 Pourquoi Cléante a-t-il un besoin urgent d'argent ?

2 Quelles sont les conditions du prêt qui lui est consenti ?

3 Le spectateur peut-il deviner le nom du prêteur ? Pourquoi ?

LIRE L'IMAGE

4 Décrivez la gravure de la page 49 en montrant comment l'argent et la richesse sont mis en valeur.

5 À quels personnages et à quelle situation de *L'Avare* cette gravure fait-elle référence ?

6 Imaginez une légende ou un titre évoquant cette situation et ces personnages.

AVEZ-VOUS BIEN LU ?

7 Quel est le rôle de maître Simon ?

8 Pourquoi Harpagon et Cléante se disputent-ils ?

9 Comment la dispute se termine-t-elle ?

La syntaxe

La syntaxe est l'ensemble des règles qui permettent de construire correctement les phrases.
Par exemple, le **parallélisme** caractérise un texte où les phrases sont construites exactement de la même manière.

ÉTUDIER LA SYNTAXE ET LE VOCABULAIRE
(LIGNES 31 À 53)

10 Étudiez le parallélisme des répliques* en relevant les points communs pour deux répliques consécutives.

11 Quel est l'effet produit par ce procédé ?

12 Relevez le champ lexical* qui fait référence à une conduite inacceptable.

*répliques : paroles prononcées par les personnages.

*champ lexical : ensemble des termes qui renvoient à un même sujet.

13 Que peut-on en déduire quant au caractère des deux personnages ?

14 À qui donnez-vous raison ? Pourquoi ?

ÉTUDIER L'ARGUMENTATION

15 Relevez l'argument* important de chacun des deux interlocuteurs.

16 Citez deux exemples révélateurs du cynisme* d'Harpagon et de Cléante.

17 Quels traits de caractère cette scène confirme-t-elle pour les deux personnages ?

*argument : dans un propos argumentatif, raison qui justifie l'idée que l'on défend.

*cynisme : attitude qui consiste à exprimer brutalement son mépris à l'encontre des conventions morales et sociales.

À VOS PLUMES !

18 Rédigez un dialogue au cours duquel une vive discussion vous oppose à votre interlocuteur à propos d'un désaccord dont vous choisirez le sujet. Vous insérerez dans votre texte des répliques aux constructions syntaxiques parallèles.

SCÈNE 3

FROSINE, HARPAGON

1 FROSINE – Monsieur…

HARPAGON – Attendez un moment ; je vais revenir vous parler. *(À part.)* Il est à propos que je fasse un petit tour à mon argent.

SCÈNE 4

LA FLÈCHE, FROSINE

1 LA FLÈCHE – L'aventure est tout à fait drôle. Il faut bien qu'il ait quelque part un ample magasin de hardes ; car nous n'avons rien reconnu au mémoire que nous avons.

FROSINE – Hé ! c'est toi, mon pauvre La Flèche. D'où vient cette
5 rencontre ?

LA FLÈCHE – Ah ! ah ! c'est toi, Frosine. Que viens-tu faire ici ?

FROSINE – Ce que je fais partout ailleurs : m'entremettre d'affaires[1], me rendre serviable aux gens, et profiter du mieux qu'il m'est possible des petits talents que je puis avoir. Tu sais
10 que dans ce monde il faut vivre d'adresse[2], et qu'aux personnes comme moi le Ciel n'a donné d'autres rentes[3] que l'intrigue et que l'industrie[4].

LA FLÈCHE – As-tu quelque négoce[5] avec le patron du logis ?

FROSINE – Oui, je traite pour lui quelque petite affaire, dont
15 j'espère une récompense.

Notes

1. **entremettre d'affaires** : servir d'intermédiaire.
2. **il faut vivre d'adresse** : il faut ruser, être habile.

3. **rentes** : qualités, dons (métaphore).
4. **l'intrigue et l'industrie** : la cachotterie et la ruse.
5. **négoce** : affaires, commerce.

LA FLÈCHE – De lui? Ah, ma foi! tu seras bien fine si tu en tires quelque chose; et je te donne avis que l'argent céans est fort cher.

FROSINE – Il y a de certains services qui touchent merveilleusement[1].

LA FLÈCHE – Je suis votre valet[2], et tu ne connais pas encore le seigneur Harpagon. Le seigneur Harpagon est de tous les humains l'humain le moins humain, le mortel de tous les mortels le plus dur et le plus serré. Il n'est point de service qui pousse sa reconnaissance jusqu'à lui faire ouvrir les mains. De la louange, de l'estime, de la bienveillance en paroles, et de l'amitié tant qu'il vous plaira; mais de l'argent, point d'affaires[3]. Il n'est rien de plus sec et de plus aride que ses bonnes grâces et ses caresses; et *donner* est un mot pour qui il a tant d'aversion[4], qu'il ne dit jamais : *Je vous donne*, mais : *Je vous prête le bonjour.*

FROSINE – Mon Dieu! je sais l'art de traire les hommes[5]; j'ai le secret de m'ouvrir leur tendresse, de chatouiller leurs cœurs, de trouver les endroits par où ils sont sensibles.

LA FLÈCHE – Bagatelles[6] ici. Je te défie d'attendrir, du côté de l'argent, l'homme dont il est question. Il est Turc[7], là-dessus, mais d'une turquerie à désespérer tout le monde; et l'on pourrait crever, qu'il n'en branlerait[8] pas. En un mot, il aime l'argent plus que réputation, qu'honneur et que vertu; et la vue d'un demandeur lui donne des convulsions. C'est le frapper par son endroit mortel, c'est lui percer le cœur, c'est lui arracher les entrailles; et si... Mais il revient; je me retire.

Notes

1. **touchent merveilleusement** : sont très rentables.
2. **Je suis votre valet** : formule de refus polie et ironique.
3. **point d'affaires** : sûrement pas.
4. **aversion** : haine, horreur.

5. **traire les hommes** : les flatter pour leur soutirer de l'argent.
6. **Bagatelles** : futilités, qualités dérisoires et inutiles.
7. **Turc** : insensible comme un Turc, réputé particulièrement cruel, à l'époque.
8. **branlerait** : bougerait.

SCÈNE 5

HARPAGON, FROSINE

1 HARPAGON, *à part* – Tout va comme il faut. *(Haut.)* Hé bien ! qu'est-ce, Frosine ?

FROSINE – Ah, mon Dieu ! que vous vous portez bien ! et que vous avez là un vrai visage de santé !

5 HARPAGON – Qui, moi ?

FROSINE – Jamais je ne vous vis un teint si frais et si gaillard.

HARPAGON – Tout de bon !

FROSINE – Comment ? vous n'avez de votre vie été si jeune que vous êtes ; et je vois des gens de vingt-cinq ans qui sont plus
10 vieux que vous.

HARPAGON – Cependant, Frosine, j'en ai soixante bien comptés.

FROSINE – Hé bien ! qu'est-ce que cela, soixante ans ? Voilà bien de quoi¹ ! C'est la fleur de l'âge cela, et vous entrez mainte-
15 nant dans la belle saison de l'homme.

HARPAGON – Il est vrai ; mais vingt années de moins pourtant ne me feraient point de mal, que je crois.

FROSINE – Vous moquez-vous ? Vous n'avez pas besoin de cela, et vous êtes d'une pâte à vivre jusques à cent ans.

20 HARPAGON – Tu le crois ?

FROSINE – Assurément. Vous en avez toutes les marques. Tenez-vous un peu. Oh ! que voilà bien là, entre vos deux yeux, un signe de longue vie !

HARPAGON – Tu te connais à cela ?

25 FROSINE – Sans doute. Montrez-moi votre main. Ah, mon Dieu ! quelle ligne de vie !

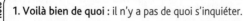

Note

1. Voilà bien de quoi : il n'y a pas de quoi s'inquiéter.

HARPAGON – Comment ?

FROSINE – Ne voyez-vous pas jusqu'où va cette ligne-là ?

HARPAGON – Hé bien ! qu'est-ce que cela veut dire ?

30 FROSINE – Par ma foi ! je disais cent ans, mais vous passerez les six-vingts[1].

HARPAGON – Est-il possible ?

FROSINE – Il faudra vous assommer, vous dis-je ; et vous mettrez en terre et vos enfants, et les enfants de vos enfants.

35 HARPAGON – Tant mieux. Comment va notre affaire ?

FROSINE – Faut-il le demander ? et me voit-on mêler de rien dont je ne vienne à bout ? J'ai surtout pour les mariages un talent merveilleux ; il n'est point de partis au monde que je ne trouve en peu de temps le moyen d'accoupler ; et je crois, si je

40 me l'étais mis en tête, que je marierais le Grand Turc[2] avec la République de Venise. Il n'y avait pas sans doute de si grandes difficultés à cette affaire-ci. Comme j'ai commerce chez elles[3], je les ai à fond l'une et l'autre entretenues de vous, et j'ai dit à la mère le dessein que vous aviez conçu pour Mariane, à

45 la voir passer dans la rue, et prendre l'air à sa fenêtre.

HARPAGON – Qui a fait réponse…

FROSINE – Elle a reçu la proposition avec joie ; et quand je lui ai témoigné que vous souhaitiez fort que sa fille assistât ce soir au contrat de mariage qui se doit faire de la vôtre, elle y a

50 consenti sans peine, et me l'a confiée pour cela.

HARPAGON – C'est que je suis obligé, Frosine, de donner à souper au seigneur Anselme ; et je serai bien aise qu'elle soit du régale[4].

Notes

1. **six-vingts** : cent vingt ans (6 x 20).
2. **le Grand Turc** : l'ennemi de la République de Venise.

3. **j'ai commerce chez elles** : je suis en relation avec elles.
4. **régale** : bon repas.

FROSINE – Vous avez raison. Elle doit après dîné rendre visite à
votre fille, d'où elle fait son compte[1] d'aller faire un tour à la
foire, pour venir ensuite au souper.

HARPAGON – Hé bien! elles iront ensemble dans mon carrosse,
que je leur prêterai.

FROSINE – Voilà justement son affaire.

HARPAGON – Mais, Frosine, as-tu entretenu la mère touchant
le bien qu'elle peut donner à sa fille? Lui as-tu dit qu'il fallait
qu'elle s'aidât un peu, qu'elle fît quelque effort, qu'elle se saignât
pour une occasion comme celle-ci? Car encore n'épouse-t-on
point une fille, sans qu'elle apporte quelque chose.

FROSINE – Comment? c'est une fille qui vous apportera douze
mille livres de rente.

HARPAGON – Douze mille livres de rente!

FROSINE – Oui. Premièrement, elle est nourrie et élevée dans
une grande épargne de bouche[2]; c'est une fille accoutumée à
vivre de salade, de lait, de fromage et de pommes, et à laquelle
par conséquent il ne faudra ni table bien servie, ni consommés
exquis, ni orges mondés[3] perpétuels, ni les autres délicatesses
qu'il faudrait pour une autre femme; et cela ne va pas à si
peu de chose, qu'il ne monte bien, tous les ans, à trois mille
francs pour le moins. Outre cela, elle n'est curieuse que d'une
propreté fort simple[4], et n'aime point les superbes habits,
ni les riches bijoux, ni les meubles somptueux, où donnent
ses pareilles[5] avec tant de chaleur; et cet article-là vaut plus

---

1. **elle fait son compte** : elle envisage.
2. **une grande épargne de bouche** : une économie dans les dépenses de nourriture.
3. **orges mondés** : grains d'orge dépouillés de leur enveloppe et utilisés par les dames pour garder le teint frais.

4. **elle n'est curieuse que d'une propreté fort simple** : elle ne recherche pas l'élégance.
5. **ses pareilles** : ses semblables : les femmes.

de quatre mille livres par an. De plus, elle a une aversion
horrible pour le jeu, ce qui n'est pas commun aux femmes
d'aujourd'hui ; et j'en sais une de nos quartiers qui a perdu, à
trente-et-quarante[1], vingt mille francs cette année. Mais n'en
prenons rien que le quart. Cinq mille francs au jeu par an,
et quatre mille francs en habits et bijoux, cela fait neuf mille
livres ; et mille écus que nous mettons pour la nourriture, ne
voilà-t-il pas par année vos douze mille francs bien comptés ?

HARPAGON – Oui, cela n'est pas mal ; mais ce compte-là n'est
rien de réel.

FROSINE – Pardonnez-moi. N'est-ce pas quelque chose de réel,
que de vous apporter en mariage une grande sobriété, l'héri-
tage d'un grand amour de simplicité de parure, et l'acquisition
d'un grand fonds de haine pour le jeu ?

HARPAGON – C'est une raillerie[2] que de vouloir me constituer
son dot[3] de toutes les dépenses qu'elle ne fera point. Je n'irai
pas donner quittance[4] de ce que je ne reçois pas ; et il faut bien
que je touche quelque chose.

FROSINE – Mon Dieu ! vous toucherez assez ; et elles m'ont
parlé d'un certain pays où elles ont du bien dont vous serez le
maître.

HARPAGON – Il faudra voir cela. Mais, Frosine, il y a encore
une chose qui m'inquiète. La fille est jeune, comme tu vois ;
et les jeunes gens d'ordinaire n'aiment que leurs semblables,
ne cherchent que leur compagnie. J'ai peur qu'un homme de
mon âge ne soit pas de son goût ; et que cela ne vienne à
produire chez moi certains petits désordres qui ne m'accommoderaient pas[5].

Notes

1. **trente-et-quarante** : jeu de cartes (le
joueur le plus proche de trente gagne).
2. **une raillerie** : une blague.
3. **son dot** : sa dot.
4. **quittance** : reçu.
5. **ne m'accommoderaient pas** : ne me
conviendraient pas.

FROSINE – Ah! que vous la connaissez mal! C'est encore une particularité que j'avais à vous dire. Elle a une aversion épouvantable pour tous les jeunes gens, et n'a de l'amour que pour les vieillards.

HARPAGON – Elle?

FROSINE – Oui, elle. Je voudrais que vous l'eussiez entendu parler là-dessus. Elle ne peut souffrir du tout la vue d'un jeune homme; mais elle n'est point plus ravie, dit-elle, que lorsqu'elle peut voir un beau vieillard avec une barbe majestueuse. Les plus vieux sont pour elle les plus charmants, et je vous avertis de n'aller pas vous faire plus jeune que vous êtes. Elle veut tout au moins qu'on soit sexagénaire; et il n'y a pas quatre mois encore, qu'étant prête d'être mariée[1], elle rompit tout net le mariage, sur ce que[2] son amant[3] fit voir qu'il n'avait que cinquante-six ans, et qu'il ne prit point de lunettes pour signer le contrat.

HARPAGON – Sur cela seulement?

FROSINE – Oui. Elle dit que ce n'est pas contentement pour elle que cinquante-six ans; et surtout, elle est pour les nez qui portent des lunettes.

HARPAGON – Certes, tu me dis là une chose toute nouvelle.

FROSINE – Cela va plus loin qu'on ne vous peut dire. On lui voit dans sa chambre quelques tableaux et quelques estampes; mais que pensez-vous que ce soit? Des Adonis[4]? des Céphales[5], des Pâris[6]? et des Apollons[7]? Non : de beaux portraits de

---

1. **étant prête d'être mariée :** étant sur le point de se marier.
2. **sur ce que :** parce que.
3. **son amant :** son prétendant.
4. **Adonis :** dieu de la végétation et du printemps.

5. **Céphale :** célèbre pour sa beauté.
6. **Pâris :** fils de Priam qui enleva Hélène et provoqua la guerre de Troie.
7. **Apollon :** dieu du jour et de la poésie, d'une beauté parfaite.

Saturne[1], du roi Priam[2], du vieux Nestor[3], et du bon père Anchise[4] sur les épaules de son fils.

HARPAGON – Cela est admirable ! Voilà ce que je n'aurais jamais pensé ; et je suis bien aise d'apprendre qu'elle est de cette humeur. En effet, si j'avais été femme, je n'aurais point aimé les jeunes hommes.

FROSINE – Je le crois bien. Voilà de belles drogues[5] que des jeunes gens, pour les aimer ! Ce sont de beaux morveux, de beaux godelureaux[6], pour donner envie de leur peau ; et je voudrais bien savoir quel ragoût[7] il y a à eux.

HARPAGON – Pour moi, je n'y en comprends point ; et je ne sais pas comment il y a des femmes qui les aiment tant.

FROSINE – Il faut être folle fieffée[8]. Trouver la jeunesse aimable ! est-ce avoir le sens commun ? Sont-ce des hommes que de jeunes blondins ? et peut-on s'attacher à ces animaux-là ?

HARPAGON – C'est ce que je dis tous les jours : avec leur ton de poule laitée[9], et leurs trois petits brins de barbe relevés en barbe de chat, leurs perruques d'étoupes[10], leurs hauts-de-chausses tout tombants, et leurs estomacs débraillés[11].

FROSINE – Eh ! cela est bien bâti, auprès d'une personne comme vous. Voilà un homme cela. Il y a là de quoi satisfaire à la vue ; et c'est ainsi qu'il faut être fait, et vêtu, pour donner de l'amour.

Notes

1. **Saturne** : vieillard, père de Jupiter.
2. **Priam** : vieux roi de Troie.
3. **Nestor** : vieux chef grec respecté pour son grand âge et sa sagesse.
4. **Anchise** : père d'Énée qui fut emporté par son fils sur ses épaules pour fuir Troie en feu.
5. **belles drogues** : mauvaises boissons.
6. **godelureaux** : jeunes hommes élégants et prétentieux.
7. **quel ragoût** : quel agrément, quel plaisir.
8. **folle fieffée** : complètement folle.
9. **poule laitée** : expression moqueuse pour un homme lâche et sot.
10. **perruques d'étoupes** : blondes comme de l'étoupe, c'est-à-dire de la filasse.
11. **estomacs débraillés** : chemise bouffante au-dessus de la ceinture.

155   HARPAGON – Tu me trouves bien ?

FROSINE – Comment ? vous êtes à ravir, et votre figure est à peindre. Tournez-vous un peu, s'il vous plaît. Il ne se peut pas mieux. Que je vous voie marcher. Voilà un corps taillé, libre, et dégagé comme il faut, et qui ne marque aucune
160   incommodité[1].

HARPAGON – Je n'en ai pas de grandes, Dieu merci. Il n'y a que ma fluxion[2], qui me prend de temps en temps.

FROSINE – Cela n'est rien. Votre fluxion ne vous sied point mal, et vous avez grâce à tousser.

165   HARPAGON – Dis-moi un peu : Mariane ne m'a-t-elle point encore vu ? N'a-t-elle point pris garde à moi en passant ?

FROSINE – Non ; mais nous nous sommes fort entretenues de vous. Je lui ai fait un portrait de votre personne ; et je n'ai pas manqué de lui vanter votre mérite, et l'avantage que ce lui
170   serait d'avoir un mari comme vous.

HARPAGON – Tu as bien fait, et je t'en remercie.

FROSINE – J'aurais, monsieur, une petite prière à vous faire. *(Il prend un air sévère.)* J'ai un procès que je suis sur le point de perdre, faute d'un peu d'argent ; et vous pourriez facilement
175   me procurer le gain de ce procès, si vous aviez quelque bonté pour moi. Vous ne sauriez croire le plaisir qu'elle aura de vous voir. *(Il prend un air gai.)* Ah ! que vous lui plairez ! et que votre fraise à l'antique[3] fera sur son esprit un effet admirable ! Mais surtout elle sera charmée de votre haut-de-chausses, atta-
180   ché au pourpoint[4] avec des aiguillettes[5] : c'est pour la rendre

---

Notes

1. **incommodité** : maladie, infirmité.
2. **fluxion** : congestion pulmonaire qui provoque la toux.
3. **fraise à l'antique** : collerette de toile démodée.

4. **pourpoint** : partie d'un vêtement d'homme couvrant le torse jusqu'au-dessous de la ceinture.
5. **aiguillettes** : cordons utilisés pour fermer un vêtement.

folle de vous ; et un amant aiguilleté sera pour elle un ragoût merveilleux.

HARPAGON – Certes, tu me ravis de me dire cela.

FROSINE – En vérité, monsieur, ce procès m'est d'une consé-
185 quence[1] tout à fait grande. *(Il reprend un visage sévère.)* Je suis ruinée, si je le perds ; et quelque petite assistance[2] me rétabli-rait mes affaires. Je voudrais que vous eussiez vu le ravissement où elle était à m'entendre parler de vous. *(Il reprend un air gai.)* La joie éclatait dans ses yeux, au récit de vos qualités ; et je l'ai
190 mise enfin dans une impatience extrême de voir ce mariage entièrement conclu.

HARPAGON – Tu m'as fait grand plaisir Frosine ; et je t'en ai, je te l'avoue, toutes les obligations[3] du monde.

FROSINE – Je vous prie, monsieur, de me donner le petit secours
195 que je vous demande. *(Il reprend son air sérieux.)* Cela me remet-tra sur pied, et je vous en serai éternellement obligée.

HARPAGON – Adieu. Je vais achever mes dépêches[4].

FROSINE – Je vous assure, monsieur, que vous ne sauriez jamais me soulager dans un plus grand besoin.

200 HARPAGON – Je mettrai ordre que mon carrosse soit tout prêt pour vous mener à la foire.

FROSINE – Je ne vous importunerais pas, si je ne m'y voyais forcée par la nécessité.

HARPAGON – Et j'aurai soin qu'on soupe de bonne heure, pour
205 ne vous point faire malades.

FROSINE – Ne me refusez pas la grâce dont je vous sollicite[5]. Vous ne sauriez croire, monsieur, le plaisir que…

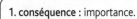

1. **conséquence** : importance.
2. **assistance** : aide.
3. **obligations** : reconnaissances, gratitudes.

4. **dépêches** : lettres d'affaires.
5. **la grâce dont je vous sollicite** : le service que je vous demande.

HARPAGON – Je m'en vais. Voilà qu'on m'appelle. Jusqu'à tantôt[1].

210 FROSINE, *seule* – Que la fièvre te serre[2], chien de vilain à tous les diables! Le ladre[3] a été ferme à toutes mes attaques; mais il ne me faut pas pourtant quitter la négociation; et j'ai l'autre côté[4], en tout cas, d'où je suis assurée de tirer bonne récompense.

Au fil du texte
Questions sur l'acte II, scène 5 (pages 54 à 62)

QUE S'EST-IL PASSÉ ENTRE-TEMPS ?

1 Pourquoi Harpagon doit-il s'absenter à la scène 3 ?

2 Qui est Frosine ? Quel est son rôle ?

3 Sur quoi La Flèche met-il Frosine en garde à propos d'Harpagon ?

AVEZ-VOUS BIEN LU ?

4 Délimitez et titrez les trois grandes parties de cette scène.

5 Énumérez les inquiétudes d'Harpagon à propos de son mariage avec Mariane.

6 Comment Frosine parvient-elle à le rassurer ?

ÉTUDIER LES PERSONNAGES (LIGNES 1 À 34)

7 Relevez le vocabulaire de la jeunesse et de la santé dans les répliques* de Frosine.

> ** répliques :* paroles prononcées par les personnages.

8 Relevez les éléments qui soulignent l'âge avancé d'Harpagon.

9 Quels peuvent être, pour le spectateur, les effets d'un tel contraste ?

Les mots de liaison

Les mots de liaison relient des idées, des arguments, expriment des rapports logiques de cause, de but, de conséquence afin de donner plus de cohérence au texte. *D'abord, ensuite, par ailleurs, enfin, surtout*, etc. sont des mots de liaison.

Étudier le portrait de Marianne (lignes 68 à 86)

10 Quelles sont, dans ce passage, les trois qualités de Mariane d'après Frosine ?

11 Comment ce portrait est-il construit (parties, mots de liaison, vocabulaire…) ?

12 Au travers de ce portrait, quelles intentions de Frosine voit-on se dégager ?

Étudier le comique

13 Relevez, dans cette scène, quelques exemples d'éléments comiques reposant sur :

a) des jeux d'opposition ;

b) des types de caractère ;

c) des jeux de scène (mimiques, mouvements, gestes…).

À vos plumes !

14 Rédigez un portrait moral flatteur d'un(e) de vos ami(e)s. Vous composerez ce portrait à partir de trois qualités principales que vous prendrez soin d'introduire à l'aide de mots de liaison appropriés.

Mise en scène

15 Pendant que deux de vos camarades lisent l'extrait des lignes 172 à 196, jouez les mimiques d'Harpagon.

Lire l'image

16 Identifiez les deux personnages de la photographie reproduite sur le plat III de la couverture, puis décrivez l'expression de leurs visages en imaginant leurs sentiments.

17 Relevez les didascalies* de la scène qui correspondent à l'attitude d'Harpagon.

18 Quelle est la cause de cette attitude ?

19 Comment le tempérament de ces deux personnages transparaît-il au travers de leur costume, leur coiffure ou leur maquillage ?

* *didascalies :* indications écrites par l'auteur pour la mise en scène.

Dans sa mise en scène de *L'Avare* en 1999, Jérôme Savary, comme à son habitude, choisit la modernité et l'originalité. Ici, les attitudes outrées, les accessoires (lunettes, fleur en plastique, nain de jardin en guide de cassette), les costumes... tout sert la comédie.

Questionnaire | 65

Maître Jacques et ses deux costumes :
celui de cuisinier et celui de cocher.

Acte III

SCÈNE 1

HARPAGON, CLÉANTE, ÉLISE, VALÈRE, DAME CLAUDE,
MAÎTRE JACQUES, BRINDAVOINE, LA MERLUCHE

1 HARPAGON – Allons, venez çà¹ tous, que je vous distribue mes
ordres pour tantôt et règle à chacun son emploi. Approchez,
dame Claude. Commençons par vous. *(Elle tient un balai.)*
Bon, vous voilà les armes à la main. Je vous commets au soin²
5 de nettoyer partout ; et surtout prenez garde de ne point frotter les meubles trop fort, de peur de les user. Outre cela, je
vous constitue, pendant le souper, au gouvernement des bou-
teilles³ ; et s'il s'en écarte quelqu'une et qu'il se casse quelque
chose, je m'en prendrai à vous, et le rabattrai sur vos gages⁴.

10 MAÎTRE JACQUES, *à part* – Châtiment politique⁵.

HARPAGON – Allez. Vous, Brindavoine, et vous, la Merluche, je
vous établis dans la charge de rincer les verres, et de donner à
boire, mais seulement lorsque l'on aura soif, et non pas selon

---

Notes

1. **venez çà** : venez ici.
2. **je vous commets au soin** : je vous
confie le soin.
3. **gouvernement des bouteilles** :
responsabilité des boissons.

4. **le rabattrai sur vos gages** : le retirerai
de votre salaire.
5. **Châtiment politique** : punition qui
profite à Harpagon.

la coutume de certains impertinents de laquais qui viennent provoquer les gens, et les faire aviser de[1] boire lorsqu'on n'y songe pas. Attendez qu'on vous en demande plus d'une fois, et vous ressouvenez[2] de porter toujours beaucoup d'eau.

MAÎTRE JACQUES, *à part* – Oui : le vin pur monte à la tête.

LA MERLUCHE – Quitterons-nous nos siquenilles[3], monsieur ?

HARPAGON – Oui, quand vous verrez venir les personnes ; et gardez bien de gâter[4] vos habits.

BRINDAVOINE – Vous savez bien, monsieur, qu'un des devants de mon pourpoint est couvert d'une grande tache de l'huile de la lampe.

LA MERLUCHE – Et moi, monsieur, que j'ai mon haut-de-chausses tout troué par-derrière, et qu'on me voit, révérence parler[5]…

HARPAGON – Paix. Rangez cela adroitement du côté de la muraille, et présentez toujours le devant au monde. *(Harpagon met son chapeau au-devant de son pourpoint pour montrer à Brindavoine comment il doit faire pour cacher la tache d'huile.)* Et vous, tenez toujours votre chapeau ainsi, lorsque vous servirez. Pour vous, ma fille, vous aurez l'œil sur ce que l'on desservira, et prendrez garde qu'il ne s'en fasse aucun dégât[6]. Cela sied bien aux filles. Mais cependant préparez-vous à bien recevoir ma maîtresse[7], qui vous doit venir visiter et vous mener avec elle à la foire. Entendez-vous ce que je vous dis ?

ÉLISE – Oui, mon père.

 Notes

1. **les faire aviser de** : les inciter à.
2. **vous ressouvenez** : n'oubliez pas.
3. **siquenilles** : vêtements de toile qui protègent la livrée des valets.
4. **gâter** : abîmer.

5. **révérence parler** : avec tout le respect que je vous dois.
6. **dégât** : gaspillage.
7. **ma maîtresse** : la jeune fille que je dois épouser.

HARPAGON – Et vous, mon fils le Damoiseau, à qui j'ai la bonté de pardonner l'histoire de tantôt, ne vous allez pas aviser non plus de lui faire mauvais visage.

CLÉANTE – Moi! mon père, mauvais visage? Et par quelle raison?

HARPAGON – Mon Dieu! nous savons le train[1] des enfants dont les pères se remarient, et de quel œil ils ont coutume de regarder ce qu'on appelle belle-mère. Mais si vous souhaitez que je perde le souvenir de votre dernière fredaine[2], je vous recommande surtout de régaler d'un bon visage[3] cette personne-là, et de lui faire enfin tout le meilleur accueil qu'il vous sera possible.

CLÉANTE – À vous dire le vrai, mon père, je ne puis pas vous promettre d'être bien aise qu'elle devienne ma belle-mère; je mentirais, si je vous le disais; mais pour ce qui est de la bien recevoir, et de lui faire bon visage, je vous promets de vous obéir ponctuellement sur ce chapitre.

HARPAGON – Prenez-y garde au moins.

CLÉANTE – Vous verrez que vous n'aurez pas sujet de vous en plaindre.

HARPAGON – Vous ferez sagement. Valère, aide-moi à ceci. Ho çà, maître Jacques, approchez-vous, je vous ai gardé pour le dernier.

MAÎTRE JACQUES – Est-ce à votre cocher, monsieur, ou bien à votre cuisinier, que vous voulez parler? car je suis l'un et l'autre.

HARPAGON – C'est à tous les deux.

MAÎTRE JACQUES – Mais à qui des deux le premier?

HARPAGON – Au cuisinier.

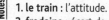

Notes
1. le train : l'attitude.
2. fredaine : écart de conduite.
3. régaler d'un bon visage : bien accueillir.

MAÎTRE JACQUES – Attendez donc, s'il vous plaît.

Il ôte sa casaque de cocher et, paraît vêtu en cuisinier.

70 HARPAGON – Quelle diantre de cérémonie est-ce là ?

MAÎTRE JACQUES – Vous n'avez qu'à parler.

HARPAGON – Je me suis engagé, maître Jacques, à donner ce soir à souper[1].

MAÎTRE JACQUES – Grande merveille !

75 HARPAGON – Dis-moi un peu, nous feras-tu bonne chère[2] ?

MAÎTRE JACQUES – Oui, si vous me donnez bien de l'argent.

HARPAGON – Que diable, toujours de l'argent ! Il semble qu'ils n'aient autre chose à dire : « De l'argent, de l'argent, de l'argent. » Ah ! ils n'ont que ce mot à la bouche : « De l'argent. » Toujours
80 parler d'argent. Voilà leur épée de chevet[3], de l'argent.

VALÈRE – Je n'ai jamais vu de réponse plus impertinente que celle-là. Voilà une belle merveille que de faire bonne chère avec bien de l'argent : c'est une chose la plus aisée du monde, et il n'y a si pauvre esprit qui n'en fît bien autant ; mais pour
85 agir en habile homme il faut parler de faire bonne chère avec peu d'argent.

MAÎTRE JACQUES – Bonne chère avec peu d'argent !

VALÈRE – Oui.

MAÎTRE JACQUES – Par ma foi, monsieur l'intendant, vous
90 nous obligerez de nous faire voir ce secret, et de prendre mon office de cuisinier : aussi bien vous mêlez-vous céans d'être le factoton[4].

HARPAGON – Taisez-vous. Qu'est-ce qu'il nous faudra ?

MAÎTRE JACQUES – Voilà monsieur votre intendant, qui vous
95 fera bonne chère pour peu d'argent.

Notes

1. **souper** : dîner.
2. **bonne chère** : bon repas.

3. **leur épée de chevet** : ce qu'ils répètent toujours.
4. **le factoton** : le valet à tout faire.

HARPAGON – Haye! je veux que tu me répondes.

MAÎTRE JACQUES – Combien serez-vous de gens à table?

HARPAGON – Nous serons huit ou dix; mais il ne faut prendre que huit: quand il y a à manger pour huit, il y en a pour dix.

100 VALÈRE – Cela s'entend.

MAÎTRE JACQUES – Hé bien! il faudra quatre grands potages[1] et cinq assiettes[2]. Potages… Entrées…

HARPAGON – Que diable! voilà pour traiter[3] toute une ville entière

105 MAÎTRE JACQUES – Rôt…

HARPAGON, *en lui mettant la main sur la bouche* – Ah! traître, tu manges tout mon bien.

MAÎTRE JACQUES – Entremets…

HARPAGON – Encore?

110 VALÈRE – Est-ce que vous avez envie de faire crever tout le monde? Et monsieur a-t-il invité des gens pour les assassiner à force de mangeaille? Allez-vous-en lire un peu les préceptes[4] de la santé et demander aux médecins s'il y a rien de plus préjudiciable à l'homme que de manger avec excès.

115 HARPAGON – Il a raison.

VALÈRE – Apprenez, maître Jacques, vous et vos pareils, que c'est un coupe-gorge qu'une table remplie de trop de viandes, que pour se bien montrer ami de ceux que l'on invite, il faut que la frugalité[5] règne dans les repas qu'on donne; et que,

120 suivant le dire d'un ancien, *il faut manger pour vivre, et non pas vivre pour manger.*

Notes

1. **potages**: plats de viandes et de légumes.
2. **assiettes**: plats de ragoûts.
3. **traiter**: nourrir.
4. **préceptes**: enseignements.
5. **la frugalité**: la légèreté du repas.

HARPAGON – Ah! que cela est bien dit! Approche, que je t'embrasse pour ce mot. Voilà la plus belle sentence[1] que j'ai entendue de ma vie. *Il faut vivre pour manger, et non pas manger*

125 *pour vi…* Non, ce n'est pas cela. Comment est-ce que tu dis?

VALÈRE – Qu'*il faut manger pour vivre, et non pas vivre pour manger.*

HARPAGON – Oui. Entends-tu? Qui est le grand homme qui a dit cela?

VALÈRE – Je ne me souviens pas maintenant de son nom.

130 HARPAGON – Souviens-toi de m'écrire ces mots : je les veux faire graver en lettres d'or sur la cheminée de ma salle.

VALÈRE – Je n'y manquerai pas. Et pour votre souper, vous n'avez qu'à me laisser faire : je réglerai tout cela comme il faut.

HARPAGON – Fais donc.

135 MAÎTRE JACQUES – Tant mieux : j'en aurai moins de peine.

HARPAGON – Il faudra de ces choses dont on ne mange guère, et qui rassasient d'abord[2] : quelque bon haricot[3] bien gras, avec quelque pâté en pot bien garni de marrons.

VALÈRE – Reposez-vous sur moi.

140 HARPAGON – Maintenant, maître Jacques, il faut nettoyer mon carrosse.

MAÎTRE JACQUES – Attendez. Ceci s'adresse au cocher. *(Il remet sa casaque.)* Vous dites…

HARPAGON – Qu'il faut nettoyer mon carrosse, et tenir mes

145 chevaux tout prêts pour conduire à la foire…

MAÎTRE JACQUES – Vos chevaux, monsieur? Ma foi, ils ne sont point du tout en état de marcher. Je ne vous dirai point qu'ils sont sur la litière, les pauvres bêtes n'en ont point, et ce serait fort mal parler; mais vous leur faites observer des jeûnes

---

Notes

1. **sentence** : pensée.   3. **haricot** : ragoût de mouton.
2. **d'abord** : tout de suite.

150 si austères[1], que ce ne sont plus rien que des idées ou des fantômes, des façons[2] de chevaux.

HARPAGON – Les voilà bien malades : ils ne font rien.

MAÎTRE JACQUES – Et pour ne faire rien, monsieur, est-ce qu'il ne faut rien manger ? Il leur vaudrait bien mieux, les pauvres
155 animaux, de travailler beaucoup, de manger de même. Cela me fend le cœur, de les voir ainsi exténués ; car enfin j'ai une tendresse pour mes chevaux, qu'il me semble[3] que c'est moi même quand je les vois pâtir[4] ; je m'ôte tous les jours pour eux les choses de la bouche ; et c'est être, monsieur, d'un naturel
160 trop dur, que de n'avoir nulle pitié de son prochain.

HARPAGON – Le travail ne sera pas grand, d'aller jusqu'à la foire.

MAÎTRE JACQUES – Non, monsieur, je n'ai pas le courage de les mener, et je ferais conscience de[5] leur donner des coups de fouet, en l'état où ils sont. Comment voudriez-vous qu'ils
165 traînassent un carrosse, qu'ils[6] ne peuvent pas se traîner eux-mêmes ?

VALÈRE – Monsieur, j'obligerai le voisin le Picard à se char-ger de les conduire : aussi bien nous fera-t-il ici besoin[7] pour apprêter[8] le souper.

170 MAÎTRE JACQUES – Soit ; j'aime mieux encore qu'ils meurent sous la main d'un autre que sous la mienne.

VALÈRE – Maître Jacques fait bien le raisonnable[9].

MAÎTRE JACQUES – Monsieur l'intendant fait bien le néces-saire[10].

175 HARPAGON – Paix !

 Notes

1. **des jeûnes si austères** : des périodes sans manger si pénibles.
2. **façons** : apparences.
3. **qu'il me semble** : à tel point qu'il me semble.
4. **pâtir** : souffrir.

5. **je ferais conscience de** : j'hésiterais à.
6. **qu'ils** : alors qu'ils.
7. **faire besoin** : avoir besoin.
8. **apprêter** : préparer.
9. **le raisonnable** : le difficile.
10. **le nécessaire** : l'indispensable.

MAÎTRE JACQUES – Monsieur, je ne saurais souffrir les flatteurs ; et je vois que ce qu'il en fait, que ses contrôles perpétuels sur le pain et le vin, le bois, le sel, et la chandelle, ne sont rien que pour vous gratter[1] et vous faire sa cour. J'enrage de cela, et je suis fâché tous les jours d'entendre ce qu'on dit de vous ; car enfin je me sens pour vous de la tendresse, en dépit que j'en aie[2] ; et après mes chevaux, vous êtes la personne que j'aime le plus.

HARPAGON – Pourrais-je savoir de vous, maître Jacques, ce que l'on dit de moi ?

MAÎTRE JACQUES – Oui, monsieur, si j'étais assuré que cela ne vous fâchât point.

HARPAGON – Non, en aucune façon.

MAÎTRE JACQUES – Pardonnez-moi : je sais fort bien que je vous mettrais en colère.

HARPAGON – Point du tout : au contraire, c'est me faire plaisir, et je suis bien aise d'apprendre comme[3] on parle de moi.

MAÎTRE JACQUES – Monsieur, puisque vous le voulez, je vous dirai franchement qu'on se moque partout de vous ; qu'on nous jette de tous côtés cent brocards[4] à votre sujet ; et que l'on n'est point plus ravi que de vous tenir au cul et aux chausses[5], et de faire sans cesse des contes de votre lésine[6]. L'un dit que vous faites imprimer des almanachs[7] particuliers, où vous faites doubler les quatre-temps et les vigiles[8], afin de profiter des jeûnes où vous obligez votre monde[9]. L'autre, que vous avez toujours une querelle toute prête à faire à vos valets dans le

---

temps des étrennes[1], ou de leur sortie d'avec vous, pour vous trouver une raison de ne leur donner rien. Celui-là conte qu'une fois vous fîtes assigner[2] le chat d'un de vos voisins, pour vous avoir mangé un reste d'un gigot de mouton. Celui-ci, que l'on vous surprit une nuit, en venant dérober[3] vous-même l'avoine de vos chevaux ; et que votre cocher, qui était celui d'avant moi, vous donna dans l'obscurité je ne sais combien de coups de bâton dont vous ne voulûtes rien dire. Enfin voulez-vous que je vous dise ? On ne saurait aller nulle part où l'on ne vous entende accommoder de toutes pièces[4] ; vous êtes la fable et la risée de tout le monde ; et jamais on ne parle de vous que sous les noms d'avare, de ladre, de vilain et de fesse-mathieu.

HARPAGON, *en le battant* – Vous êtes un sot, un maraud, un coquin et un impudent.

MAÎTRE JACQUES – Hé bien ! ne l'avais-je pas deviné ? Vous ne m'avez pas voulu croire : je vous l'avais bien dit que je vous fâcherais de vous dire[5] la vérité.

HARPAGON – Apprenez à parler.

Notes

1. **les étrennes** : les cadeaux de fin d'année.
2. **assigner** : citer en justice.
3. **en venant dérober** : alors que vous veniez voler.
4. **accommoder de toutes pièces** : ridiculiser de toutes les façons.
5. **de vous dire** : en vous disant.

Au fil du texte

QUE S'EST-IL PASSÉ ENTRE-TEMPS ?

1 Au terme du deuxième acte, résumez la situation de Cléante avec Harpagon.

2 Quelles sont les attentes du spectateur ?

3 Imaginez des hypothèses de dénouement* pour le conflit qui oppose le père et le fils.

dénouement : fin de la pièce qui fixe le sort des personnages.

AVEZ-VOUS BIEN LU ?

4 À qui Harpagon s'adresse-t-il successivement ?

5 Qu'est-il en train d'organiser ?

6 Que doivent s'efforcer de réussir tous ses serviteurs ?

ÉTUDIER L'EMPLOI DE L'IMPÉRATIF

7 Relevez tous les verbes conjugués à l'impératif dans les répliques* d'Harpagon et donnez leur infinitif.

répliques : paroles prononcées par les personnages.

8 Quel type de rapport l'emploi de ce mode établit-il entre Harpagon et ses serviteurs ?

9 Qu'en déduisez-vous quant aux valeurs du mode impératif ?

ÉTUDIER LES CARACTÈRES

10 Énumérez les « dix commandements » selon Harpagon pour tenir une maison en avare et réussir un maigre souper.

Par exemple, le premier commandement peut être : « *prenez garde de ne point frotter les meubles trop fort, de peur de les user* » (lignes 5 et 6).

11 À partir de cette énumération, qualifiez l'avarice d'Harpagon.

12 Citez des exemples de la flatterie de Valère et de la sincérité naïve de maître Jacques.

13 Comment Harpagon réagit-il face à l'attitude de ces deux serviteurs ?

14 Qu'en déduisez-vous de l'image que Molière veut donner des rapports sociaux ?

ÉTUDIER LA PLACE ET LA FONCTION DE L'EXTRAIT DANS L'ŒUVRE

15 Pour la suite de l'intrigue*, quelle sera la conséquence importante de l'attitude de Valère vis-à-vis de maître Jacques ?

> * *intrigue :* **action de la pièce qui se met en place à partir des relations entre les personnages.**
>
> * *procédés comiques :* **voir encadré p. 24.**

ÉTUDIER LE COMIQUE

16 Dans cette scène, trouvez des exemples de procédés comiques* relevant du comique de gestes, de caractère et de mots.

MISE EN SCÈNE

17 Harpagon s'adresse tour à tour à ses serviteurs en présence de ses enfants. Imaginez comment les huit personnages de cette scène occupent l'espace, quels sont leurs mouvements, leurs attitudes quand ils ne participent pas au dialogue.

À VOS PLUMES !

18 Selon votre réponse à la question 10, rédigez les « dix commandements » d'une personne généreuse qui organise un souper et qui souhaite choyer particulièrement ses invités. Vous utiliserez l'impératif.

SCÈNE 2

MAÎTRE JACQUES, VALÈRE

1 VALÈRE – À ce que je puis voir, maître Jacques, on paye mal
votre franchise.

MAÎTRE JACQUES – Morbleu, monsieur le nouveau venu, qui
faites l'homme d'importance, ce n'est pas votre affaire. Riez

5 de vos coups de bâton quand on vous en donnera, et ne venez
point rire des miens.

VALÈRE – Ah! monsieur maître Jacques, ne vous fâchez pas, je
vous prie.

MAÎTRE JACQUES, *à part* – Il file doux. Je veux faire le brave,

10 et s'il est assez sot pour me craindre, le frotter¹ quelque peu.
(Haut.) Savez-vous bien, monsieur le rieur, que je ne ris pas,
moi ? et que si vous m'échauffez la tête, je vous ferai rire d'une
autre sorte ?

Maître Jacques pousse Valère jusqu'au bout du théâtre, en le
15 *menaçant.*

VALÈRE – Eh! doucement.

MAÎTRE JACQUES – Comment, doucement ? il ne me plaît pas,
moi.

VALÈRE – De grâce.

20 MAÎTRE JACQUES – Vous êtes un impertinent.

VALÈRE – Monsieur maître Jacques…

MAÎTRE JACQUES – Il n'y a point de monsieur maître Jacques
pour un double². Si je prends un bâton, je vous rosserai
d'importance³.

---

1. frotter : battre.
2. un double : une petite pièce d'une
valeur de deux deniers (ce qui équivaut à
« pour un sou »).

3. je vous rosserai d'importance : je vous
battrai avec violence.

25 VALÈRE – Comment, un bâton?

Valère le fait reculer autant qu'il l'a fait.

MAÎTRE JACQUES – Eh! je ne parle pas de cela.

VALÈRE – Savez-vous bien, monsieur le fat[1], que je suis homme à vous rosser vous-même?

30 MAÎTRE JACQUES – Je n'en doute pas.

VALÈRE – Que vous n'êtes, pour tout potage[2], qu'un faquin[3] de cuisinier?

MAÎTRE JACQUES – Je le sais bien.

VALÈRE – Et que vous ne me connaissez pas encore?

35 MAÎTRE JACQUES – Pardonnez-moi.

VALÈRE – Vous me rosserez, dites-vous?

MAÎTRE JACQUES – Je le disais en raillant.

VALÈRE – Et moi, je ne prends point de goût à votre raillerie. *(Il lui donne des coups de bâton.)* Apprenez que vous êtes un **40** mauvais railleur.

MAÎTRE JACQUES, *seul* – Peste soit la sincérité! c'est un mauvais métier. Désormais j'y renonce, et je ne veux plus dire vrai. Passe encore pour mon maître : il a quelque droit de me battre; mais pour ce monsieur l'intendant, je m'en vengerai si je le puis.

SCÈNE 3

FROSINE, MARIANE, MAÎTRE JACQUES

1 FROSINE – Savez-vous, maître Jacques, si votre maître est au logis?

MAÎTRE JACQUES – Oui, vraiment, il y est, je ne le sais que trop.

FROSINE – Dites-lui, je vous prie, que nous sommes ici.

Notes

1. **le fat** : le prétentieux.
2. **pour tout potage** : en fait.

3. **faquin** : homme méprisable.

SCÈNE 4

MARIANE, FROSINE

1 MARIANE – Ah! que je suis, Frosine, dans un étrange état! et s'il faut dire ce que je sens, que j'appréhende cette vue!

FROSINE – Mais pourquoi, et quelle est votre inquiétude?

MARIANE – Hélas! me le demandez-vous? et ne vous figurez-5 vous point les alarmes d'une personne toute prête à voir le supplice où l'on veut l'attacher?

FROSINE – Je vois bien que, pour mourir agréablement, Harpagon n'est pas le supplice que vous voudriez embrasser; et je connais à votre mine que le jeune blondin dont vous m'avez 10 parlé vous revient un peu dans l'esprit.

MARIANE – Oui, c'est une chose, Frosine, dont je ne veux pas me défendre; et les visites respectueuses qu'il a rendues chez nous ont fait, je vous l'avoue, quelque effet dans mon âme.

FROSINE – Mais avez-vous su quel il est[1]?

15 MARIANE – Non, je ne sais point quel il est; mais je sais qu'il est fait d'un air à se faire aimer; et que si l'on pouvait mettre les choses à mon choix, je le prendrais plutôt qu'un autre; et qu'il ne contribue pas peu à me faire trouver un tourment effroyable dans l'époux qu'on veut me donner.

20 FROSINE – Mon Dieu! tous ces blondins sont agréables, et débitent fort bien leur fait[2]; mais la plupart sont gueux[3] comme des rats, et il vaut mieux pour vous de prendre un vieux mari qui vous donne beaucoup de bien[4]. Je vous avoue que les sens ne trouvent pas si bien leur compte du côté que je 25 dis, et qu'il y a quelques petits dégoûts à essuyer[5] avec un tel

---

Notes

1. **quel il est** : qui il est.
2. **débitent fort bien leur fait** : expriment très bien leurs galanteries.
3. **gueux** : miséreux, pauvres.
4. **bien** : richesse.
5. **à essuyer** : à subir.

époux; mais cela n'est pas pour durer, et sa mort, croyez-moi, vous mettra bientôt en état d'en prendre un plus aimable, qui réparera toutes choses.

MARIANE – Mon Dieu! Frosine, c'est une étrange affaire, lorsque, pour être heureuse, il faut souhaiter ou attendre le trépas[1] de quelqu'un, et la mort ne suit pas tous les projets que nous faisons.

FROSINE – Vous moquez-vous? Vous ne l'épousez qu'aux conditions de vous laisser veuve bientôt; et ce doit être là un des articles du contrat. Il serait bien impertinent de ne pas mourir dans trois mois. Le voici en propre personne.

MARIANE – Ah! Frosine, quelle figure!

SCÈNE 5

HARPAGON, FROSINE, MARIANE

HARPAGON – Ne vous offensez pas, ma belle, si je viens à vous avec les lunettes. Je sais que vos appas[2] frappent assez les yeux, sont assez visibles d'eux-mêmes, et qu'il n'est pas besoin de lunettes pour les apercevoir; mais enfin c'est avec des lunettes qu'on observe les astres, et je maintiens et garantis que vous êtes un astre, mais un astre, le plus bel astre qui soit dans le pays des astres. Frosine, elle ne répond mot, et ne témoigne, ce me semble, aucune joie de me voir.

FROSINE – C'est qu'elle est encore toute surprise; et puis les filles ont toujours honte à témoigner d'abord ce qu'elles ont dans l'âme.

HARPAGON – Tu as raison. *(À Mariane.)* Voilà, belle mignonne, ma fille qui vient vous saluer.

Notes

1. le trépas : la mort.   2. vos appas : vos charmes.

SCÈNE 6

ÉLISE, HARPAGON, MARIANE, FROSINE

1 MARIANE – Je m'acquitte bien tard, madame, d'une telle visite.

ÉLISE – Vous avez fait, madame, ce que je devais faire, et c'était à moi de vous prévenir[1].

HARPAGON – Vous voyez qu'elle est grande ; mais mauvaise 5 herbe croît toujours.

MARIANE, *bas, à Frosine* – Oh ! l'homme déplaisant !

HARPAGON – Que dit la belle ?

FROSINE – Qu'elle vous trouve admirable.

HARPAGON – C'est trop d'honneur que vous me faites, adorable 10 mignonne.

MARIANE, *à part* – Quel animal !

HARPAGON – Je vous suis trop obligé[2] de ces sentiments.

MARIANE, *à part* – Je n'y puis plus tenir.

HARPAGON – Voici mon fils aussi qui vous vient faire la révé-15 rence.

MARIANE, *bas, à Frosine* – Ah ! Frosine, quelle rencontre ! C'est justement celui dont je t'ai parlé.

FROSINE, *à Mariane* – L'aventure est merveilleuse.

HARPAGON – Je vois que vous vous étonnez de me voir de si 20 grands enfants ; mais je serai bientôt défait et de l'un et de l'autre.

Notes

1. vous prévenir : vous devancer, d'agir avant vous.

2. Je vous suis trop obligé : je vous suis reconnaissant.

SCÈNE 7

CLÉANTE, HARPAGON, ÉLISE, MARIANE, FROSINE, VALÈRE

1 CLÉANTE – Madame, à vous dire le vrai, c'est ici une aventure où[1] sans doute je ne m'attendais pas ; et mon père ne m'a pas peu surpris lorsqu'il m'a dit tantôt le dessein qu'il avait formé.

MARIANE – Je puis dire la même chose. C'est une rencontre
5 imprévue qui m'a surprise autant que vous ; et je n'étais point préparée à une pareille aventure.

CLÉANTE – Il est vrai que mon père, madame, ne peut pas faire un plus beau choix, et que ce m'est une sensible joie[2] que l'honneur de vous voir ; mais avec tout cela, je ne vous assure-
10 rai point que je me réjouis du dessein où[3] vous pourriez être de devenir ma belle-mère. Le compliment, je vous l'avoue, est trop difficile pour moi ; et c'est un titre, s'il vous plaît, que je ne vous souhaite point. Ce discours paraîtra brutal aux yeux de quelques-uns ; mais je suis assuré que vous serez per-
15 sonne à le prendre comme il faudra, que c'est un mariage, madame, où[4] vous vous imaginez bien que je dois avoir de la répugnance ; que vous n'ignorez pas, sachant ce que je suis, comme[5] il choque mes intérêts ; et que vous voulez bien enfin que je vous dise, avec la permission de mon père, que si les
20 choses dépendaient de moi, cet hymen[6] ne se ferait point.

HARPAGON – Voilà un compliment bien impertinent : quelle belle confession à lui faire !

MARIANE – Et moi, pour vous répondre, j'ai à vous dire que les choses sont fort égales[7] ; et que si vous auriez de la répugnance
25 à me voir votre belle-mère, je n'en aurais pas moins sans doute

---

Notes

1. **où** : à laquelle.
2. **une sensible joie** : une très grande joie.
3. **où** : dans lequel.
4. **où** : pour lequel.
5. **comme** : combien.
6. **hymen** : mariage.
7. **fort égales** : identiques.

à vous voir mon beau-fils. Ne croyez pas, je vous prie, que ce soit moi qui cherche à vous donner cette inquiétude. Je serais fort fâchée de vous causer du déplaisir ; et si je ne m'y vois for-cée par une puissance absolue, je vous donne ma parole que je
30 ne consentirai point au mariage qui vous chagrine.

HARPAGON – Elle a raison : à sot compliment, il faut une réponse de même. Je vous demande pardon, ma belle, de l'impertinence de mon fils. C'est un jeune sot, qui ne sait pas encore la conséquence des paroles qu'il dit.

35 MARIANE – Je vous promets que ce qu'il m'a dit ne m'a point du tout offensée ; au contraire, il m'a fait plaisir de m'expli-quer ainsi ses véritables sentiments. J'aime de lui un aveu de la sorte ; et s'il avait parlé d'autre façon, je l'en estimerais bien moins.

40 HARPAGON – C'est beaucoup de bonté à vous de vouloir ainsi excuser ses fautes. Le temps le rendra plus sage, et vous verrez qu'il changera de sentiments.

CLÉANTE – Non, mon père, je ne suis point capable d'en chan-ger, et je prie instamment madame de le croire.

45 HARPAGON – Mais voyez quelle extravagance ! il continue encore plus fort.

CLÉANTE – Voulez-vous que je trahisse mon cœur ?

HARPAGON – Encore ? Avez-vous envie de changer de discours ?

CLÉANTE – Hé bien ! puisque vous voulez que je parle d'autre
50 façon, souffrez, madame, que je me mette ici à la place de mon père, et que je vous avoue que je n'ai rien vu dans le monde de si charmant que vous ; que je ne conçois rien d'égal au bonheur de vous plaire, et que le titre de votre époux est une gloire, une félicité que je préférerais aux destinées des
55 plus grands princes de la terre. Oui, madame, le bonheur de vous posséder est à mes regards la plus belle de toutes les for-tunes ; c'est où j'attache toute mon ambition ; il n'y a rien que

je ne sois capable de faire pour une conquête si précieuse, et les obstacles les plus puissants…

60 HARPAGON – Doucement, mon fils, s'il vous plaît.

CLÉANTE – C'est un compliment que je fais pour vous à madame.

HARPAGON – Mon Dieu! j'ai une langue pour m'expliquer moi-même, et je n'ai pas besoin d'un procureur[1] comme vous.
65 Allons, donnez des sièges.

FROSINE – Non, il vaut mieux que de ce pas nous allions à la foire, afin d'en revenir plus tôt, et d'avoir tout le temps ensuite de vous entretenir[2].

HARPAGON – Qu'on mette donc les chevaux au carrosse. Je
70 vous prie de m'excuser, ma belle, si je n'ai pas songé à vous donner un peu de collation[3] avant que de partir.

CLÉANTE – J'y ai pourvu, mon père, et j'ai fait apporter ici quelques bassins d'oranges de la Chine, de citrons doux et de confitures, que j'ai envoyé quérir[4] de votre part.

75 HARPAGON, *bas, à Valère* – Valère!

VALÈRE, *à Harpagon* – Il a perdu le sens.

CLÉANTE – Est-ce que vous trouvez, mon père, que ce ne soit pas assez? Madame aura la bonté d'excuser cela, s'il lui plaît.

MARIANE – C'est une chose qui n'était pas nécessaire.

80 CLÉANTE – Avez-vous jamais vu, madame, un diamant plus vif que celui que vous voyez que mon père a au doigt?

MARIANE – Il est vrai qu'il brille beaucoup.

CLÉANTE, *il l'ôte du doigt de son père et le donne à Mariane* – Il faut que vous le voyiez de près.

85 MARIANE – Il est fort beau sans doute, et jette quantité de feux.

Notes

1. **procureur** : interprète.
2. **de vous entretenir** : de converser.
3. **collation** : repas léger.
4. **quérir** : chercher.

CLÉANTE, *il se met au-devant de Mariane, qui le veut rendre* – Nenni[1], madame : il est en de trop belles mains. C'est un présent que mon père vous a fait.

HARPAGON – Moi ?

90 CLÉANTE – N'est-il pas vrai, mon père, que vous voulez que madame le garde pour l'amour de vous ?

HARPAGON, *bas, à son fils* – Comment ?

CLÉANTE – Belle demande ! Il me fait signe de vous le faire accepter.

95 MARIANE – Je ne veux point…

CLÉANTE – Vous moquez-vous ? Il n'a garde de le reprendre[2].

HARPAGON, *à part* – J'enrage !

MARIANE – Ce serait…

CLÉANTE, *en empêchant toujours Mariane de rendre la bague* – Non,
100 vous dis-je, c'est l'offenser.

MARIANE – De grâce.

CLÉANTE – Point du tout.

HARPAGON, *à part* – Peste soit…

CLÉANTE – Le voilà qui se scandalise de votre refus.

105 HARPAGON, *bas, à son fils* – Ah, traître !

CLÉANTE – Vous voyez qu'il se désespère.

HARPAGON, *bas, à son fils, en le menaçant* – Bourreau que tu es !

CLÉANTE – Mon père, ce n'est pas ma faute. Je fais ce que je puis pour l'obliger à la garder ; mais elle est obstinée.

110 HARPAGON, *bas, à son fils, avec emportement* – Pendard !

CLÉANTE – Vous êtes cause, madame, que mon père me querelle.

HARPAGON, *bas, à son fils, avec les mêmes grimaces* – Le coquin !

Notes

1. Nenni : non.

2. Il n'a garde de le reprendre : il n'a pas envie de le reprendre.

CLÉANTE – Vous le ferez tomber malade. De grâce, madame, ne résistez point davantage.

115 FROSINE – Mon Dieu! que de façons! Gardez la bague puisque monsieur le veut.

MARIANE – Pour ne vous point mettre en colère, je la garde maintenant; et je prendrai un autre temps[1] pour vous la rendre.

Gravure de Maurice Leloir pour *L'Avare*.

Note
1. un autre temps : un autre moment.

Au fil du texte

Questions sur l'acte III, scène 7 (pages 83 à 87)

QUE S'EST-IL PASSÉ ENTRE-TEMPS ?

1 Quelle est la réaction de Mariane lorsqu'elle voit Harpagon pour la première fois ?

2 En présence de Mariane, Harpagon s'est-il montré inquiet ou serein ?

3 Que doit faire Frosine pour bien jouer son rôle d'entremetteuse ?

AVEZ-VOUS BIEN LU ?

4 Pourquoi Mariane est-elle surprise de voir Cléante ?

5 Par quel moyen Cléante réussit-il à lui déclarer son amour en présence de son père ?

6 Comment Harpagon réagit-il ?

ÉTUDIER L'ÉCRITURE

7 Relevez dans les répliques de Cléante des hyperboles* contenant un superlatif*.

8 À qui sont-elles adressées ?

9 Quels sentiments de Cléante traduisent-elles ?

> *** hyperbole :** expression exagérée.
>
> *** superlatif :** il exprime la qualité au degré le plus élevé (ex. : *le plus beau, le plus fort, le plus riche...*).

ÉTUDIER LA PLACE ET LA FONCTION DE L'EXTRAIT DANS L'ŒUVRE

10 Quels sont les deux sujets de conflit majeur qui opposent Cléante à son père ?

11 Trouvez une phrase prononcée par Cléante qui traduise clairement l'ambition du fils par rapport au père.

12 Quel tournant de l'intrigue cette phrase peut-elle marquer?

ÉTUDIER LE COMIQUE (LIGNES 80 À 112)

13 Relevez les didascalies* de ce passage et précisez leur rôle.

didascalies : indications écrites par l'auteur pour la mise en scène.

14 Quels procédés comiques font-elles apparaître?

15 Qui est ridiculisé?

16 À la lecture de ce passage, dites quel rôle Molière semble vouloir donner à ses comédies.

LIRE L'IMAGE DE LA PAGE 87

17 Identifiez, de gauche à droite, les personnages.

18 Décrivez les tenues vestimentaires d'Harpagon et de Cléante à l'aide des termes de la pièce.

19 À partir de l'attitude des personnages, résumez ce moment de l'intrigue.

MISE EN SCÈNE (LIGNES 80 À 112)

20 Attribuez à chacun des trois personnages (Harpagon, Mariane et Cléante) le ton qui convient à ses répliques en choisissant parmi les trois propositions suivantes :

a) scandalisé, outré, choqué;

b) naturel, spontané, admiratif;

c) amusé, moqueur, taquin.

21 Imaginez les gestes et les déplacements de ces personnages.

22 Jouez cet extrait en vous aidant des deux réponses précédentes et des didascalies.

À VOS PLUMES !

23 Rédigez le panégyrique* de quelqu'un que vous aimez ou admirez. Vous vous efforcerez d'utiliser des hyperboles avec des superlatifs. Votre rédaction pourra être ironique*.

panégyrique : discours extrêmement flatteur sur quelqu'un.

mode ironique : procédé qui consiste à faire comprendre le contraire de ce que l'on dit.

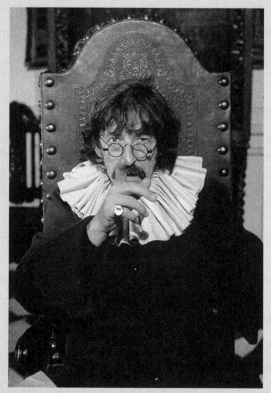

Henri Virlojeux en Harpagon menaçant.

SCÈNE 8

HARPAGON, MARIANE, FROSINE, CLÉANTE,
BRINDAVOINE, ÉLISE, VALÈRE

1 BRINDAVOINE – Monsieur, il y a là un homme qui veut vous parler.

HARPAGON – Dis-lui que je suis empêché[1], et qu'il revienne une autre fois.

5 BRINDAVOINE – Il dit qu'il vous apporte de l'argent.

HARPAGON – Je vous demande pardon. Je reviens tout à l'heure.

SCÈNE 9

HARPAGON, MARIANE, CLÉANTE, ÉLISE, FROSINE, LA MERLUCHE

1 LA MERLUCHE, *il vient en courant, et fait tomber Harpagon* – Monsieur…

HARPAGON – Ah! je suis mort.

CLÉANTE – Qu'est-ce, mon père? vous êtes-vous fait mal?

5 HARPAGON – Le traître assurément a reçu de l'argent de mes débiteurs[2], pour me faire rompre le cou.

VALÈRE – Cela ne sera rien.

LA MERLUCHE – Monsieur, je vous demande pardon, je croyais bien faire d'accourir vite.

10 HARPAGON – Que viens-tu faire ici, bourreau?

LA MERLUCHE – Vous dire que vos deux chevaux sont déferrés[3].

Notes

1. **je suis empêché** : je ne peux pas le recevoir.
2. **débiteurs** : personnes qui doivent de l'argent.

3. **déferrés** : dont les fers des sabots ont été retirés.

HARPAGON – Qu'on les mène promptement¹ chez le maréchal.

CLÉANTE – En attendant qu'ils soient ferrés, je vais faire pour
15   vous, mon père, les honneurs de votre logis², et conduire
madame dans le jardin, où je ferai porter la collation.

HARPAGON – Valère, aie un peu l'œil à tout cela ; et prends
soin, je te prie, de m'en sauver le plus que tu pourras, pour le
renvoyer au marchand.

20 VALÈRE – C'est assez.

HARPAGON, *seul* – Ô fils impertinent, as-tu envie de me
ruiner ?

**Michel Serrault en Harpagon
fou de rage et d'inquiétude
à l'idée que le valet de son fils
découvre son secret.**

Notes

1. promptement : rapidement.

2. je vais faire [...] les honneurs de votre
logis : je vais accueillir madame.

Acte IV

SCÈNE 1

Cléante, Mariane, Élise, Frosine

1 Cléante – Rentrons ici, nous serons beaucoup mieux. Il n'y a plus autour de nous personne de suspect, et nous pouvons parler librement.

Élise – Oui, madame, mon frère m'a fait confidence de la pas-
5 sion qu'il a pour vous. Je sais les chagrins et les déplaisirs que sont capables de causer de pareilles traverses[1], et c'est, je vous assure, avec une tendresse extrême, que je m'intéresse à votre aventure.

Mariane – C'est une douce consolation que de voir dans
10 ses intérêts une personne comme vous; et je vous conjure, madame, de me garder toujours cette généreuse amitié, si capable de m'adoucir les cruautés de la fortune[2].

Frosine – Vous êtes, par ma foi, de malheureuses gens l'un et l'autre, de ne m'avoir point, avant tout ceci, avertie de votre

---

Notes

1. **traverses** : difficultés.

2. **m'adoucir les cruautés de la fortune :** rendre ma vie plus agréable.

15   affaire. Je vous aurais sans doute détourné[1] cette inquiétude,
      et n'aurais point amené les choses où l'on voit qu'elles sont.

      CLÉANTE – Que veux-tu? C'est ma mauvaise destinée qui l'a
      voulu ainsi. Mais, belle Mariane, quelles résolutions sont les
      vôtres?

20   MARIANE – Hélas! suis-je en pouvoir de faire des résolutions?
      Et dans la dépendance où je me vois, puis-je former que[2] des
      souhaits?

      CLÉANTE – Point d'autre appui pour moi dans votre cœur que
      de simples souhaits? point de pitié officieuse[3]? point de secou-
25   rable bonté? point d'affection agissante?

      MARIANE – Que saurais-je vous dire? Mettez-vous en[4] ma
      place, et voyez ce que je puis faire. Avisez, ordonnez vous-
      même : je m'en remets à vous, et je vous crois trop raisonnable
      pour vouloir exiger de moi que ce qui peut m'être permis par
30   l'honneur et la bienséance[5].

      CLÉANTE – Hélas! où me réduisez-vous, que de me renvoyer[6]
      à ce que voudront me permettre les fâcheux sentiments d'un
      rigoureux honneur et d'une scrupuleuse bienséance?

      MARIANE – Mais que voulez-vous que je fasse? Quand je pour-
35   rais passer sur quantité d'égards où notre sexe est obligé[7], j'ai
      de la considération pour ma mère. Elle m'a toujours élevée
      avec une tendresse extrême, et je ne saurais me résoudre à
      lui donner du déplaisir. Faites, agissez auprès d'elle, employez
      tous vos soins à gagner son esprit : vous pouvez faire et dire
40   tout ce que vous voudrez, je vous en donne la licence[8]; et

---

Notes

1. **détourné** : épargné.
2. **que** : autre chose que.
3. **officieuse** : complaisante.
4. **en** : à.
5. **la bienséance** : les bonnes manières.
6. **que de me renvoyer** : en me
renvoyant.

7. **Quand je pourrais passer sur quantité
d'égards où notre sexe est obligé** :
même si je commettais quelques écarts
de conduite.
8. **la licence** : la permission.

s'il ne tient qu'à me déclarer en votre faveur, je veux bien consentir à lui faire un aveu moi-même de tout ce que je sens pour vous.

CLÉANTE – Frosine, ma pauvre Frosine, voudrais-tu nous servir?

FROSINE – Par ma foi! faut-il demander? je le voudrais de tout mon cœur. Vous savez que de mon naturel je suis assez humaine; le Ciel ne m'a point fait l'âme de bronze, et je n'ai que trop de tendresse à rendre de petits services, quand je vois des gens qui s'entr'aiment en tout bien et en tout honneur. Que pourrions-nous faire à ceci?

CLÉANTE – Songe un peu, je te prie.

MARIANE – Ouvre-nous des lumières[1].

ÉLISE – Trouve quelque invention pour rompre[2] ce que tu as fait.

FROSINE – Ceci est assez difficile. *(À Mariane.)* Pour votre mère, elle n'est pas tout à fait déraisonnable, et peut-être pourrait-on la gagner, et la résoudre à transporter au fils le don qu'elle veut faire au père. *(À Cléante.)* Mais le mal que j'y trouve, c'est que votre père est votre père.

CLÉANTE – Cela s'entend.

FROSINE – Je veux dire qu'il conservera du dépit[3], si l'on montre qu'on le refuse; et qu'il ne sera point d'humeur ensuite à donner son consentement à votre mariage. Il faudrait, pour bien faire, que le refus vînt de lui-même, et tâcher par quelque moyen de le dégoûter de votre personne.

CLÉANTE – Tu as raison.

Notes

1. **Ouvre-nous des lumières** : donne-nous des éclaircissements.

2. **rompre** : défaire.
3. **dépit** : rancœur.

FROSINE – Oui, j'ai raison, je le sais bien. C'est là ce qu'il faudrait ; mais le diantre[1] est d'en pouvoir trouver les moyens.

70 Attendez : si nous avions quelque femme un peu sur l'âge[2], qui fût de mon talent, et jouât assez bien pour contrefaire une dame de qualité, par le moyen d'un train[3] fait à la hâte[4], et d'un bizarre nom de marquise, ou de vicomtesse, que nous supposerions de la basse Bretagne, j'aurais assez d'adresse pour

75 faire accroire[5] à votre père que ce serait une personne riche, outre ses maisons, de cent mille écus en argent comptant ; qu'elle serait éperdument amoureuse de lui, et souhaiterait de se voir sa femme, jusqu'à lui donner tout son bien par contrat de mariage ; et je ne doute point qu'il ne prêtât l'oreille à

80 la proposition ; car enfin il vous aime fort, je le sais ; mais il aime un peu plus l'argent ; et quand, ébloui de ce leurre[6], il aurait une fois consenti à ce qui vous touche, il importerait peu ensuite qu'il se désabusât[7], en venant à vouloir voir clair aux effets[8] de notre marquise.

85 CLÉANTE – Tout cela est fort bien pensé.

FROSINE – Laissez-moi faire. Je viens de me ressouvenir d'une de mes amies, qui sera notre fait[9].

CLÉANTE – Sois assurée, Frosine, de ma reconnaissance, si tu viens à bout de la chose. Mais, charmante Mariane, com-

90 mençons, je vous prie, par gagner votre mère : c'est toujours beaucoup faire que de rompre ce mariage. Faites-y de votre part, je vous en conjure, tous les efforts qu'il vous sera possible ; servez-vous de tout le pouvoir que vous donne sur elle

---

Notes

1. le diantre : le diable, ici la difficulté.
2. sur l'âge : assez âgée.
3. un train : une suite de serviteurs.
4. à la hâte : assez rapidement.
5. accroire : croire.
6. leurre : tromperie.
7. se désabusât : fût détrompé.
8. aux effets : à la fortune.
9. sera notre fait : fera notre affaire.

cette amitié qu'elle a pour vous ; déployez sans réserve les
grâces éloquentes[1], les charmes tout-puissants que le Ciel a
placés dans vos yeux et dans votre bouche ; et n'oubliez rien,
s'il vous plaît, de ces tendres paroles, de ces douces prières,
et de ces caresses touchantes à qui[2] je suis persuadé qu'on ne
saurait rien refuser.

MARIANE – J'y ferai tout ce que je puis, et n'oublierai aucune
chose.

SCÈNE 2

HARPAGON, CLÉANTE, MARIANE, ÉLISE, FROSINE

HARPAGON, *à part* – Ouais, mon fils baise la main de sa prétendue[3] belle-mère, et sa prétendue belle-mère ne s'en défend pas
fort. Y aurait-il quelque mystère là-dessous ?

ÉLISE – Voilà mon père.

HARPAGON – Le carrosse est tout prêt. Vous pouvez partir
quand il vous plaira.

CLÉANTE – Puisque vous n'y allez pas, mon père, je m'en vais
les conduire.

HARPAGON – Non, demeurez. Elles iront bien toutes seules ; et
j'ai besoin de vous.

Notes

1. les grâces éloquentes : l'art de bien
parler.

2. à qui : auxquelles.
3. prétendue : future.

SCÈNE 3

HARPAGON, CLÉANTE

1 HARPAGON – Ô çà, intérêt de belle-mère[1] à part, que te semble à toi de cette personne ?

CLÉANTE – Ce qui m'en semble ?

HARPAGON – Oui, de son air, de sa taille, de sa beauté, de son
5 esprit ?

CLÉANTE – Là, là.

HARPAGON – Mais encore ?

CLÉANTE – À vous en parler franchement, je ne l'ai pas trouvée ici ce que je l'avais crue. Son air est de franche coquette ; sa
10 taille est assez gauche, sa beauté très médiocre, et son esprit des plus communs. Ne croyez pas que ce soit, mon père, pour vous en dégoûter ; car, belle-mère pour belle-mère, j'aime autant celle-là qu'une autre.

HARPAGON – Tu lui disais tantôt pourtant…

15 CLÉANTE – Je lui ai dit quelques douceurs en votre nom, mais c'était pour vous plaire.

HARPAGON – Si bien donc que tu n'aurais pas d'inclination pour elle ?

CLÉANTE – Moi ? point du tout.

20 HARPAGON – J'en suis fâché ; car cela rompt une pensée qui m'étais venue dans l'esprit. J'ai fait, en la voyant ici, réflexion sur mon âge ; et j'ai songé qu'on pourra trouver à redire de me voir marier à une si jeune personne. Cette considération m'en faisait quitter le dessein ; et comme je l'ai fait demander, et que
25 je suis pour elle engagé de parole, je te l'aurais donnée, sans l'aversion que tu témoignes.

CLÉANTE – À moi ?

Note

1. **intérêt de belle-mère :** affaire de belle-mère.

HARPAGON – À toi.

CLÉANTE – En mariage ?

30 HARPAGON – En mariage.

CLÉANTE – Écoutez : il est vrai qu'elle n'est pas fort à mon goût ; mais pour vous faire plaisir, mon père, je me résoudrai à l'épouser, si vous voulez.

HARPAGON – Moi ? Je suis plus raisonnable que tu ne penses : je 35 ne veux point forcer ton inclination.

CLÉANTE – Pardonnez-moi, je me ferai cet effort pour l'amour de vous.

HARPAGON – Non, non : un mariage ne saurait être heureux où l'inclination n'est pas.

40 CLÉANTE – C'est une chose, mon père, qui peut-être viendra ensuite ; et l'on dit que l'amour est souvent un fruit du mariage.

HARPAGON – Non : du côté de l'homme, on ne doit point risquer l'affaire, et ce sont des suites fâcheuses[1], où je n'ai garde 45 de me commettre[2]. Si tu avais senti quelque inclination pour elle, à la bonne heure : je te l'aurais fait épouser, au lieu de moi ; mais cela n'étant pas, je suivrai mon premier dessein, et je l'épouserai moi-même.

CLÉANTE – Hé bien ! mon père, puisque les choses sont ainsi, 50 il faut vous découvrir mon cœur, il faut vous révéler notre secret. La vérité est que je l'aime depuis un jour que je la vis dans une promenade, que mon dessein était tantôt de vous la demander pour femme ; et que rien ne m'a retenu que la déclaration de vos sentiments, et la crainte de vous déplaire.

55 HARPAGON – Lui avez-vous rendu visite ?

CLÉANTE – Oui, mon père.

<hr>

Notes

1. **des suites fâcheuses** : des conséquences embarrassantes.

2. **me commettre** : m'exposer.

HARPAGON – Beaucoup de fois ?

CLÉANTE – Assez, pour le temps qu'il y a[1].

HARPAGON – Vous a-t-on bien reçu ?

60 CLÉANTE – Fort bien, mais sans savoir qui j'étais ; et c'est ce qui a fait tantôt la surprise de Mariane.

HARPAGON – Lui avez-vous déclaré votre passion, et le dessein où vous étiez de l'épouser ?

CLÉANTE – Sans doute, et même j'en avais fait à sa mère quelque
65 peu d'ouverture[2].

HARPAGON – A-t-elle écouté, pour sa fille, votre proposition ?

CLÉANTE – Oui, fort civilement[3].

HARPAGON – Et la fille correspond-elle[4] fort à votre amour ?

CLÉANTE – Si j'en dois croire les apparences, je me persuade,
70 mon père, qu'elle a quelque bonté pour moi.

HARPAGON, *bas, à part* – Je suis bien aise d'avoir appris un tel secret, et voilà justement ce que je demandais. *(Haut.)* Oh sus ![5] mon fils, savez-vous ce qu'il y a ? c'est qu'il faut songer, s'il vous plaît, à vous défaire de votre amour ; à cesser toutes
75 vos poursuites auprès d'une personne que je prétends pour moi[6] ; et à vous marier dans peu avec celle qu'on vous destine.

CLÉANTE – Oui, mon père, c'est ainsi que vous me jouez[7] ! Hé bien ! puisque les choses en sont venues là, je vous déclare, moi, que je ne quitterai point la passion que j'ai pour Mariane,
80 qu'il n'y a point d'extrémité où je ne m'abandonne[8] pour vous disputer sa conquête, et que si vous avez pour vous le

---

Notes

1. **pour le temps qu'il y a** : pour le peu de temps écoulé depuis notre rencontre.
2. **quelque peu d'ouverture** : je lui en avais un peu parlé.
3. **fort civilement** : très poliment.
4. **correspond-elle** : répond-elle.

5. **sus !** : allons !
6. **que je prétends pour moi** : que je demande en mariage.
7. **vous me jouez** : vous me trompez.
8. **où je ne m'abandonne** : à laquelle je renonce.

consentement d'une mère, j'aurai d'autres secours peut-être
qui combattront pour moi.

HARPAGON – Comment, pendard? tu as l'audace d'aller sur
mes brisées[1]?

CLÉANTE – C'est vous qui allez sur les miennes! et je suis le
premier en date.

HARPAGON – Ne suis-je pas ton père? et ne me dois-tu pas le
respect?

CLÉANTE – Ce ne sont point ici des choses où les enfants soient
obligés de déférer[2] aux pères; et l'amour ne connaît personne.

HARPAGON – Je te ferai bien me connaître, avec de bons coups
de bâton.

CLÉANTE – Toutes vos menaces ne feront rien.

HARPAGON – Tu renonceras à Mariane.

CLÉANTE – Point du tout.

HARPAGON – Donnez-moi un bâton tout à l'heure[3].

Notes

1. aller sur mes brisées : entrer en concurrence avec moi.

2. déférer : céder, obéir.
3. tout à l'heure : immédiatement.

Au fil du texte

Questions sur l'acte IV, scène 3 (pages 98 à 101)

QUE S'EST-IL PASSÉ ENTRE-TEMPS ?

1 Quel stratagème Frosine envisage-t-elle pour détourner Harpagon de son projet de mariage avec Mariane ?

2 Que doit essayer d'obtenir Mariane auprès de sa mère ?

3 Que remarque Harpagon à la scène 2 entre Mariane et Cléante ?

4 Que décide-t-il alors ?

AVEZ-VOUS BIEN LU ?

5 En quoi, au cours de cette scène, l'expression « Prêcher le faux pour savoir le vrai » prend-elle tout son sens ?

6 À quel moment Cléante tombe-t-il dans le piège tendu par son père ?

7 Comment Harpagon réagit-il à l'aveu de son fils ?

Tutoiement et vouvoiement

Le **tutoiement** est le fait de s'adresser à quelqu'un à la 2e personne du singulier. C'est souvent le fait de l'adulte à l'enfant, parfois du supérieur au subalterne, de personnes d'un même niveau professionnel ou social. Il peut également exprimer la colère ou l'injure.

Le **vouvoiement** est le fait de s'adresser à quelqu'un à la 2e personne du pluriel. Il inverse les situations du tutoiement : l'enfant à l'adulte, le subalterne au supérieur… On vouvoie les inconnus.

ÉTUDIER LE TUTOIEMENT ET LE VOUVOIEMENT

8 Identifiez les trois parties de cette scène en délimitant les passages au cours desquels Cléante est tutoyé par son père puis vouvoyé et à nouveau tutoyé.

9 Relevez toutes les marques de ce tutoiement et de ce vouvoiement (pronoms personnels, adjectifs possessifs).

10 Quelles valeurs donnez-vous à ces deux formes de discours ?

ÉTUDIER LES PERSONNAGES

11 Relevez les termes employés par Cléante au sujet de Mariane, de la ligne 8 à la ligne 13.

12 Relevez les termes que Cléante utilise pour dresser le portrait de Mariane à la scène 2 de l'acte I (l. 39 à 51, pp. 16-17).

13 Expliquez cette différence de comportement chez Cléante après avoir comparé ses deux attitudes.

14 Relevez quelques phrases témoignant de la docilité de Cléante envers son père au début de la scène.

15 En quels termes peut-on qualifier le ton de Cléante à la fin de cette même scène ? Justifiez votre choix à l'aide de quelques phrases de la scène.

ÉTUDIER LA PLACE ET LA FONCTION
DE L'EXTRAIT DANS L'ŒUVRE

16 Pourquoi l'aveu de Cléante est-il un coup de théâtre* pour son père ?

17 Quelles conséquences peut-il avoir sur la suite de l'intrigue ?

> *** coup de théâtre :** événement inattendu qui modifie brutalement le cours de l'intrigue.

18 Expliquez en quoi cette scène est à la fois tragique* et comique.

* tragique : qui inspire la crainte d'une issue dramatique et terrible.

À VOS PLUMES !

19 Il vous est sans doute arrivé, au cours d'une conversation, de passer du vouvoiement au tutoiement. Racontez en quelles circonstances et précisez les raisons de ce changement de langage et d'attitude.

LIRE L'IMAGE

20 La photographie de ces deux acteurs est prise en contre-plongée (l'appareil est situé en position basse par rapport à ce qui est photographié) et en plan demi-rapproché (jusqu'à la poitrine). Quel est, à votre avis, l'intérêt de ce cadrage ?

21 Décrivez les visages pour en déduire les sentiments qu'ils expriment.

22 À quel moment de la scène ce jeu des physionomies correspond-il ?

Cléante (John Arnold) face à Harpagon (Michel Bouquet).

SCÈNE 4

MAÎTRE JACQUES, HARPAGON, CLÉANTE

1 MAÎTRE JACQUES – Eh, eh, eh, messieurs, qu'est-ce ci[1]? à quoi songez-vous?

CLÉANTE – Je me moque de cela.

MAÎTRE JACQUES, *à Cléante* – Ah! monsieur, doucement.

5 HARPAGON – Me parler avec cette impudence[2]!

MAÎTRE JACQUES, *à Harpagon* – Ah! monsieur, de grâce.

CLÉANTE – Je n'en démordrai point.

MAÎTRE JACQUES, *à Cléante* – Eh quoi? à votre père?

HARPAGON – Laisse-moi faire.

10 MAÎTRE JACQUES, *à Harpagon* – Eh quoi? à votre fils? Encore passe pour moi.

HARPAGON – Je te veux faire toi-même, maître Jacques, juge de cette affaire, pour montrer comme j'ai raison.

MAÎTRE JACQUES – J'y consens. *(À Cléante.)* Éloignez-vous un
15 peu.

HARPAGON – J'aime une fille, que je veux épouser; et le pendard a l'insolence de l'aimer avec moi, et d'y prétendre malgré mes ordres.

MAÎTRE JACQUES – Ah! il a tort.

20 HARPAGON – N'est-ce pas une chose épouvantable, qu'un fils qui veut entrer en concurrence avec son père? et ne doit-il pas, par respect, s'abstenir de toucher à mes inclinations?

MAÎTRE JACQUES – Vous avez raison. Laissez-moi lui parler, et demeurez là.

25 *Il vient trouver Cléante à l'autre bout du théâtre.*

Notes

1. qu'est-ce ci? : que se passe-t-il ici? 2. impudence : effronterie.

CLÉANTE – Hé bien! oui, puisqu'il veut te choisir pour juge, je n'y recule point; il ne m'importe qui ce soit[1] et je veux bien aussi me rapporter à toi, maître Jacques, de notre différend[2].

MAÎTRE JACQUES – C'est beaucoup d'honneur que vous me faites.

CLÉANTE – Je suis épris d'une jeune personne qui répond à mes vœux, et reçoit tendrement les offres de ma foi; et mon père s'avise de venir troubler notre amour par la demande qu'il en fait faire.

MAÎTRE JACQUES – Il a tort assurément.

CLÉANTE – N'a-t-il point de honte, à son âge, de songer à se marier? lui sied-il bien[3] d'être encore amoureux? et ne devrait-il pas laisser cette occupation aux jeunes gens?

MAÎTRE JACQUES – Vous avez raison, il se moque. Laissez-moi lui dire deux mots. *(Il revient à Harpagon.)* Hé bien! votre fils n'est pas si étrange que vous le dites, et il se met à la raison. Il dit qu'il sait le respect qu'il vous doit, et qu'il ne s'est emporté que dans la première chaleur, et qu'il ne fera point refus de se soumettre à ce qu'il vous plaira, pourvu que vous vouliez le traiter mieux que vous ne faites, et lui donner quelque personne en mariage dont il ait lieu d'être content.

HARPAGON – Ah! dis-lui, maître Jacques, que moyennant cela il pourra espérer toutes choses de moi; et que, hors Mariane, je lui laisse la liberté de choisir celle qu'il voudra.

MAÎTRE JACQUES, – Laissez-moi faire. *(Il va au fils.)* Hé bien! votre père n'est pas si déraisonnable que vous le faites[4]; et il m'a témoigné que ce sont vos emportements qui l'ont mis en colère; et qu'il n'en veut seulement qu'à votre manière d'agir,

---

Notes

1. il ne m'importe qui ce soit : quel que soit le juge, cela m'indiffère.
2. différend : désaccord.

3. lui sied-il bien : lui convient-il.
4. que vous le faites : que vous le dites.

et qu'il sera fort disposé à vous accorder ce que vous souhai-
tez, pourvu que vous vouliez vous y prendre par la douceur, et lui rendre les déférences[1], les respects et les soumissions qu'un fils doit à son père.

CLÉANTE – Ah! maître Jacques, tu peux lui assurer que, s'il m'accorde Mariane, il me verra toujours le plus soumis de tous les hommes et que jamais je ne ferai aucune chose que par ses volontés.

MAÎTRE JACQUES, *à Harpagon* – Cela est fait. Il consent à ce que vous dites.

HARPAGON – Voilà qui va le mieux du monde.

MAÎTRE JACQUES, *à Cléante* – Tout est conclu. Il est content de vos promesses.

CLÉANTE – Le Ciel en soit loué!

MAÎTRE JACQUES – Messieurs, vous n'avez qu'à parler ensemble : vous voilà d'accord maintenant! et vous alliez vous quereller, faute de vous entendre.

CLÉANTE – Mon pauvre maître Jacques, je te serai obligé toute ma vie.

MAÎTRE JACQUES – Il n'y a pas de quoi, monsieur.

HARPAGON – Tu m'as fait plaisir, maître Jacques, et cela mérite une récompense. Va, je m'en souviendrai, je t'assure. *Il tire son mouchoir de sa poche, ce qui fait croire à maître Jacques qu'il va lui donner quelque chose.*

MAÎTRE JACQUES – Je vous baise les mains[2].

Notes

1. **les déférences** : les respectueuses politesses.

2. **Je vous baise les mains** : je vous remercie.

SCÈNE 5

CLÉANTE, HARPAGON

1 CLÉANTE – Je vous demande pardon, mon père, de l'emportement que j'ai fait paraître.

HARPAGON – Cela n'est rien.

CLÉANTE – Je vous assure que j'en ai tous les regrets du monde.

5 HARPAGON – Et moi, j'ai toutes les joies du monde de te voir raisonnable.

CLÉANTE – Quelle bonté à vous d'oublier si vite ma faute !

HARPAGON – On oublie aisément les fautes des enfants, lorsqu'ils rentrent dans leur devoir.

10 CLÉANTE – Quoi ? ne garder aucun ressentiment[1] de toutes mes extravagances ?

HARPAGON – C'est une chose où[2] tu m'obliges par la soumission et le respect où tu te ranges.

CLÉANTE – Je vous promets, mon père, que, jusques au tom-
15 beau, je conserverai dans mon cœur le souvenir de vos bontés.

HARPAGON – Et moi, je te promets qu'il n'y aura aucune chose que de moi tu n'obtiennes.

CLÉANTE – Ah ! mon père, je ne vous demande plus rien ; et c'est m'avoir assez donné que de me donner Mariane.

20 HARPAGON – Comment ?

CLÉANTE – Je dis, mon père, que je suis trop content de vous, et que je trouve toutes choses dans la bonté que vous avez de m'accorder Mariane.

HARPAGON – Qui est-ce qui parle de t'accorder Mariane ?

25 CLÉANTE – Vous, mon père.

Notes

1. **ressentiment** : rancune.   2. **où** : à laquelle.

HARPAGON – Moi?

CLÉANTE – Sans doute.

HARPAGON – Comment? C'est toi qui as promis d'y renoncer.

CLÉANTE – Moi, y renoncer?

30 HARPAGON – Oui.

CLÉANTE – Point du tout.

HARPAGON – Tu ne t'es pas départi d'y prétendre[1]?

CLÉANTE – Au contraire, j'y suis porté plus que jamais.

HARPAGON – Quoi? pendard, derechef[2]?

35 CLÉANTE – Rien ne me peut changer.

HARPAGON – Laisse-moi faire, traître.

CLÉANTE – Faites tout ce qu'il vous plaira.

HARPAGON – Je te défends de me jamais voir.

CLÉANTE – À la bonne heure.

40 HARPAGON – Je t'abandonne.

CLÉANTE – Abandonnez.

HARPAGON – Je te renonce[3] pour mon fils.

CLÉANTE – Soit.

HARPAGON – Je te déshérite.

45 CLÉANTE – Tout ce que vous voudrez.

HARPAGON – Et je te donne ma malédiction.

CLÉANTE – Je n'ai que faire de vos dons.

Notes

1. Tu ne t'es pas départi d'y prétendre : tu n'as pas renoncé à y prétendre.

2. derechef : encore une fois.

3. Je te renonce : je te renie.

SCÈNE 6

1   LA FLÈCHE, *sortant du jardin, avec une cassette* – Ah! monsieur, que
    je vous trouve à propos! suivez-moi vite.

CLÉANTE – Qu'y a-t-il?

LA FLÈCHE – Suivez-moi, vous dis-je : nous sommes bien[1].

5   CLÉANTE – Comment?

LA FLÈCHE – Voici votre affaire.

CLÉANTE – Quoi?

LA FLÈCHE – J'ai guigné[2] ceci tout le jour.

CLÉANTE – Qu'est-ce que c'est?

10   LA FLÈCHE – Le trésor de votre père, que j'ai attrapé.

CLÉANTE – Comment as-tu fait?

LA FLÈCHE – Vous saurez tout. Sauvons-nous, je l'entends crier.

SCÈNE 7

HARPAGON

1   *Il crie au voleur dès le jardin, et vient sans chapeau.* Au voleur! au
    voleur! à l'assassin! au meurtrier! Justice, juste Ciel! je suis
    perdu, je suis assassiné, on m'a coupé la gorge, on m'a dérobé
    mon argent. Qui peut-ce être? Qu'est-il devenu? Où est-il?

5   Où se cache-t-il? Que ferai-je pour le trouver? Où courir?
    Où ne pas courir? N'est-il point là? N'est-il point ici? Qui
    est-ce? Arrête. Rends-moi mon argent, coquin… *(Il se prend
    lui-même le bras.)* Ah! c'est moi. Mon esprit est troublé, et
    j'ignore où je suis, qui je suis, et ce que je fais. Hélas! mon

10   pauvre argent, mon pauvre argent, mon cher ami! on m'a privé

Notes

1. nous sommes bien : tout va bien.   **2. guigné :** guetté.

de toi ; et puisque tu m'es enlevé, j'ai perdu mon support[1], ma consolation, ma joie ; tout est fini pour moi, et je n'ai plus que faire au monde : sans toi, il m'est impossible de vivre. C'en est fait, je n'en puis plus ; je me meurs, je suis mort, je suis enterré.

15 N'y a-t-il personne qui veuille me ressusciter, en me rendant mon cher argent, ou en m'apprenant qui l'a pris ? Euh ? que dites-vous ? Ce n'est personne. Il faut, qui que ce soit qui ait fait le coup, qu'avec beaucoup de soin on ait épié l'heure ; et l'on a choisi justement le temps que[2] je parlais à mon traître

20 de fils. Sortons. Je veux aller quérir[3] la justice, et faire donner la question[4] à toute la maison : à servantes, à valets, à fils, à fille, et à moi aussi. Que de gens assemblés ! Je ne jette mes regards sur personne qui ne me donne des soupçons, et tout me semble mon voleur. Eh ! de quoi est-ce qu'on parle là ?

25 De celui qui m'a dérobé ? Quel bruit fait-on là-haut ? Est-ce mon voleur qui y est ? De grâce, si l'on sait des nouvelles de mon voleur, je supplie que l'on m'en dise. N'est-il point caché là parmi vous ? Ils me regardent tous, et se mettent à rire. Vous verrez qu'ils ont part sans doute au vol que l'on m'a fait.

30 Allons vite, des commissaires, des archers, des prévôts[5], des juges, des gênes[6], des potences et des bourreaux. Je veux faire pendre tout le monde ; et si je ne retrouve mon argent, je me pendrai moi-même après.

Notes

1. mon support : mon appui, mon soutien.
2. le temps que : le moment où.
3. quérir : chercher.

4. faire donner la question : torturer.
5. des prévôts : des officiers de la justice.
6. des gênes : des instruments de torture.

**Une représentation de l'acteur Grandmesnil (1737-1816)
dans le rôle d'Harpagon à la Comédie-Française.**

Au fil du texte

Questions sur l'acte IV, scène 7 (pages 110-111)

QUE S'EST-IL PASSÉ ENTRE-TEMPS ?

1 Où en est le conflit qui oppose Cléante à Harpagon ?

2 Quel a été finalement le rôle de maître Jacques au cours de la dispute de la scène 4 ?

3 Que découvre Cléante dans les mains de La Flèche ?

AVEZ-VOUS BIEN LU ?

4 Comment Harpagon réagit-il lorsqu'il découvre le vol de son argent ?

5 Qui soupçonne-t-il ?

6 Quelles solutions envisage-t-il pour sortir de son désespoir ?

ÉTUDIER LA GRAMMAIRE

7 Dans les lignes 1 à 7, relevez d'une part les phrases exclamatives, d'autre part les phrases interrogatives.

8 Quels sentiments révèle la succession de ces deux types de phrase ?

ÉTUDIER LE DISCOURS

9 À qui Harpagon s'adresse-t-il successivement ?

10 Relevez les termes qui désignent ses interlocuteurs.

11 Pourquoi peut-on dire que ce monologue* est un faux dialogue ?

> *monologue : un personnage, seul sur scène, parle à voix haute et informe ainsi les spectateurs de ses pensées, ses sentiments, ses intentions.

ÉTUDIER LE MONOLOGUE

12 Comment le mot « monologue » est-il composé ?

13 Dites pourquoi ce monologue est à la fois tragique* et comique.

14 Relevez et expliquez quelques passages comiques que vous avez remarqués.

ÉTUDIER L'ÉCRITURE

15 Relevez toutes les accumulations* dans cette scène.

16 Quelles sont celles qui correspondent à une gradation* ascendante* ?

17 Quel est l'intérêt de ce procédé d'écriture ?

*tragique : qui inspire la crainte d'une issue dramatique et terrible.

*accumulation : juxtaposition de mots de même nature (verbes, noms communs, adjectifs...).

*gradation : juxtaposition de termes qui marquent une évolution.

*ascendante : qui va en augmentant (contraire de descendante).

ÉTUDIER LA PLACE ET LA FONCTION DE L'EXTRAIT DANS L'ŒUVRE

18 À quel moment de l'intrigue ce monologue prend-il place ?

19 Quels sont les traits de caractère d'Harpagon confirmés par ce monologue ?

20 Quel dénouement* cette scène peut-elle laisser entrevoir ?

*dénouement : fin de la pièce qui fixe le sort des personnages.

LIRE L'IMAGE DE LA PAGE 112

21 Citez le passage du monologue qui vous paraît correspondre exactement à l'attitude du personnage de la peinture.

22 Énumérez les éléments qui suggèrent la folie (attitude, expression du visage, éclairage...).

23 Approuvez-vous cette interprétation du personnage ? Pourquoi ?

Acte V

SCÈNE 1

HARPAGON, LE COMMISSAIRE, SON CLERC

1 LE COMMISSAIRE – Laissez-moi faire : je sais mon métier, Dieu
   merci. Ce n'est pas d'aujourd'hui que je me mêle de découvrir
   des vols ; et je voudrais avoir autant de sacs de mille francs que
   j'ai fait pendre de personnes.

5 HARPAGON – Tous les magistrats sont intéressés à prendre cette
   affaire en main ; et si l'on ne me fait retrouver mon argent, je
   demanderai justice de la justice.

   LE COMMISSAIRE – Il faut faire toutes les poursuites requises[1].
   Vous dites qu'il y avait dans cette cassette ?…

10 HARPAGON – Dix mille écus bien comptés.

   LE COMMISSAIRE – Dix mille écus !

   HARPAGON – Dix mille écus.

   LE COMMISSAIRE – Le vol est considérable.

   HARPAGON – Il n'y a point de supplice assez grand pour l'énor-
15 mité de ce crime ; et s'il demeure impuni, les choses les plus
    sacrées ne sont plus en sûreté.

Note

1. **requises** : nécessaires.

LE COMMISSAIRE – En quelles espèces était cette somme ?

HARPAGON – En bons louis d'or et pistoles[1] bien trébuchantes[2].

LE COMMISSAIRE – Qui soupçonnez-vous de ce vol ?

20 HARPAGON – Tout le monde ; et je veux que vous arrêtiez[3] prisonniers la ville et les faubourgs.

LE COMMISSAIRE – Il faut, si vous m'en croyez, n'effaroucher personne, et tâcher doucement d'attraper quelques preuves, afin de procéder après par la rigueur au recouvrement[4] des
25 deniers qui vous ont été pris.

SCÈNE 2

MAÎTRE JACQUES, HARPAGON, LE COMMISSAIRE, SON CLERC

1 MAÎTRE JACQUES, *au bout du théâtre, en se retournant du côté dont il sort* – Je m'en vais revenir. Qu'on me l'égorge tout à l'heure, qu'on me lui fasse griller les pieds, qu'on me le mette dans l'eau bouillante, et qu'on me le pende au plancher.

5 HARPAGON – Qui ? Celui qui m'a dérobé ?

MAÎTRE JACQUES – Je parle d'un cochon de lait que votre intendant me vient d'envoyer, et je veux vous l'accommoder à ma fantaisie[5].

HARPAGON – Il n'est pas question de cela ; et voilà monsieur, à
10 qui il faut parler d'autre chose.

LE COMMISSAIRE – Ne vous épouvantez point. Je suis homme à ne vous point scandaliser[6], et les choses iront dans la douceur.

Notes

1. **pistole** : unité de monnaie.
2. **trébuchantes** : qui correspondent au bon poids sur le trébuchet (balance utilisée pour peser les pièces d'or).
3. **arrêtiez** : fassiez.

4. **recouvrement** : fait de retrouver.
5. **l'accommoder à ma fantaisie** : le préparer à ma façon.
6. **scandaliser** : causer du tort, faire du mal.

MAÎTRE JACQUES – Monsieur est de votre souper?

LE COMMISSAIRE – Il faut ici, mon cher ami, ne rien cacher à votre maître.

MAÎTRE JACQUES – Ma foi! monsieur, je montrerai tout ce que je sais faire, et je vous traiterai du mieux qu'il me sera possible.

HARPAGON – Ce n'est pas là l'affaire.

MAÎTRE JACQUES – Si je ne vous fais pas aussi bonne chère que je voudrais, c'est la faute de monsieur notre intendant, qui m'a rogné les ailes avec les ciseaux de son économie.

HARPAGON – Traître, il s'agit d'autre chose que de souper; et je veux que tu me dises des nouvelles de l'argent qu'on m'a pris.

MAÎTRE JACQUES – On vous a pris de l'argent?

HARPAGON – Oui, coquin; et je m'en vais te pendre, si tu ne me le rends.

LE COMMISSAIRE – Mon Dieu! ne le maltraitez point. Je vois à sa mine qu'il est honnête homme, et que sans se faire mettre en prison, il vous découvrira ce que vous voulez savoir. Oui, mon ami, si vous nous confessez la chose, il ne vous sera fait aucun mal, et vous serez récompensé comme il faut par votre maître. On lui a pris aujourd'hui son argent, et il n'est pas que vous ne sachiez¹ quelques nouvelles de cette affaire.

MAÎTRE JACQUES, *à part* – Voici justement ce qu'il me faut pour me venger de notre intendant : depuis qu'il est entré céans², il est le favori, on n'écoute que ses conseils; et j'ai aussi sur le cœur les coups de bâton de tantôt.

HARPAGON – Qu'as-tu à ruminer?

LE COMMISSAIRE – Laissez-le faire : il se prépare à vous contenter, et je vous ai bien dit qu'il était honnête homme.

Notes

1. **il n'est pas que vous ne sachiez :** vous savez assurément.   2. **céans :** ici.

MAÎTRE JACQUES – Monsieur, si vous voulez que je vous dise les choses, je crois que c'est monsieur votre cher intendant qui a fait le coup.

HARPAGON – Valère?

45 MAÎTRE JACQUES – Oui.

HARPAGON – Lui, qui me paraît si fidèle?

MAÎTRE JACQUES – Lui-même. Je crois que c'est lui qui vous a dérobé.

HARPAGON – Et sur quoi[1] le crois-tu?

50 MAÎTRE JACQUES – Sur quoi?

HARPAGON – Oui.

MAÎTRE JACQUES – Je le crois… sur ce que je le crois.

LE COMMISSAIRE – Mais il est nécessaire de dire les indices que vous avez.

55 HARPAGON – L'as-tu vu rôder autour du lieu où j'avais mis mon argent?

MAÎTRE JACQUES – Oui, vraiment. Où était-il votre argent?

HARPAGON – Dans le jardin.

MAÎTRE JACQUES – Justement; je l'ai vu rôder dans le jardin. Et
60 dans quoi est-ce que cet argent était?

HARPAGON – Dans une cassette.

MAÎTRE JACQUES – Voilà l'affaire : je lui ai vu une cassette.

HARPAGON – Et cette cassette, comment est-elle faite? Je verrai bien si c'est la mienne.

65 MAÎTRE JACQUES – Comment elle est faite?

HARPAGON – Oui.

MAÎTRE JACQUES – Elle est faite… elle est faite comme une cassette.

 Note 1. sur quoi : d'après quoi.

LE COMMISSAIRE – Cela s'entend. Mais dépeignez-la un peu,
pour voir.

MAÎTRE JACQUES – C'est une grande cassette.

HARPAGON – Celle qu'on m'a volée est petite.

MAÎTRE JACQUES – Eh! oui, elle est petite, si on le veut prendre
par là, mais je l'appelle grande pour ce qu'elle contient.

HARPAGON – Et de quelle couleur est-elle?

MAÎTRE JACQUES – De quelle couleur?

LE COMMISSAIRE – Oui.

MAÎTRE JACQUES – Elle est de la couleur… là, d'une certaine
couleur… Ne sauriez-vous m'aider à dire?

HARPAGON – Euh?

MAÎTRE JACQUES – N'est-elle pas rouge?

HARPAGON – Non, grise.

MAÎTRE JACQUES – Eh! oui, gris-rouge : c'est ce que je voulais
dire.

HARPAGON – Il n'y a point de doute : c'est elle assurément.
Écrivez, monsieur, écrivez sa déposition. Ciel! à qui désormais se fier? Il ne faut plus jurer de rien; et je crois après cela
que je suis homme à me voler moi-même.

MAÎTRE JACQUES – Monsieur, le voici qui revient. Ne lui allez
pas dire au moins que c'est moi qui vous ai découvert cela.

SCÈNE 3

VALÈRE, HARPAGON, LE COMMISSAIRE, SON CLERC,
MAÎTRE JACQUES

HARPAGON – Approche : viens confesser l'action la plus noire,
l'attentat le plus horrible qui jamais ait été commis.

VALÈRE – Que voulez-vous, monsieur?

HARPAGON – Comment, traître, tu ne rougis pas de ton crime?

5 VALÈRE – De quel crime voulez-vous donc parler?

HARPAGON – De quel crime je veux parler, infâme? comme si tu ne savais pas ce que je veux dire. C'est en vain que tu prétendrais de le déguiser[1] : l'affaire est découverte, et l'on vient de m'apprendre tout. Comment abuser ainsi de ma bonté, et 10 s'introduire exprès chez moi pour me trahir? pour me jouer un tour de cette nature?

VALÈRE – Monsieur, puisqu'on vous a découvert tout, je ne veux point chercher de détours[2] et vous nier la chose.

MAÎTRE JACQUES, *à part* – Oh, oh! aurais-je deviné sans y 15 penser?

VALÈRE – C'était mon dessein de vous en parler, et je voulais attendre pour cela des conjonctures[3] favorables; mais puisqu'il est ainsi, je vous conjure de ne vous point fâcher, et de vouloir entendre mes raisons.

20 HARPAGON – Et quelles belles raisons peux-tu me donner, voleur infâme?

VALÈRE – Ah! monsieur, je n'ai pas mérité ces noms. Il est vrai que j'ai commis une offense[4] envers vous; mais après tout, ma faute est pardonnable.

25 HARPAGON – Comment! pardonnable? Un guet-apens? un assassinat de la sorte?

VALÈRE – De grâce, ne vous mettez point en colère. Quand vous m'aurez ouï, vous verrez que le mal n'est pas si grand que vous le faites.

30 HARPAGON – Le mal n'est pas si grand que je le fais! Quoi? mon sang, mes entrailles, pendard?

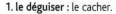

Notes

1. le déguiser : le cacher.
2. je ne veux point chercher de détours : je veux être franc.

3. conjonctures : circonstances.
4. une offense : un affront.

VALÈRE – Votre sang[1], monsieur, n'est pas tombé dans de mauvaises mains. Je suis d'une condition à ne lui point faire de tort, et il n'y a rien en tout ceci que je ne puisse bien réparer.

35 HARPAGON – C'est bien mon intention, et que tu me restitues ce que tu m'as ravi.

VALÈRE – Votre honneur, monsieur, sera pleinement satisfait.

HARPAGON – Il n'est pas question d'honneur là-dedans. Mais dis-moi, qui t'a porté à cette action[2]?

40 VALÈRE – Hélas! me le demandez-vous?

HARPAGON – Oui, vraiment, je te le demande.

VALÈRE – Un dieu qui porte les excuses de tout ce qu'il fait faire : l'Amour.

HARPAGON – L'Amour?

45 VALÈRE – Oui.

HARPAGON – Bel amour, bel amour, ma foi! l'amour de mes louis d'or.

VALÈRE – Non, monsieur, ce ne sont point vos richesses qui m'ont tenté; ce n'est pas cela qui m'a ébloui, et je proteste de
50 ne prétendre rien à tous vos biens[3], pourvu que vous me laissiez celui que j'ai.

HARPAGON – Non ferai[4], de par tous les diables! je ne te le laisserai pas. Mais voyez quelle insolence de vouloir retenir le vol qu'il m'a fait!

55 VALÈRE – Appelez-vous cela un vol?

HARPAGON – Si je l'appelle un vol! un trésor comme celui-là!

VALÈRE – C'est un trésor, il est vrai, et le plus précieux que vous ayez sans doute; mais ce ne sera pas le perdre que de

---

Notes

1. **Votre sang** : votre fille.
2. **qui t'a porté à cette action?** : qui t'a poussé à commettre ce vol?

3. **je proteste de ne prétendre rien à tous vos biens** : j'affirme ne pas être intéressé par votre fortune.
4. **Non ferai** : je ne le ferai pas.

me le laisser. Je vous le demande à genoux, ce trésor plein de charmes ; et pour bien faire, il faut que vous me l'accordiez.

HARPAGON – Je n'en ferai rien. Qu'est-ce à dire cela ?

VALÈRE – Nous nous sommes promis une foi mutuelle[1], et avons fait serment de ne nous point abandonner.

HARPAGON – Le serment est admirable, et la promesse plaisante !

VALÈRE – Oui, nous nous sommes engagés d'être l'un à l'autre à jamais.

HARPAGON – Je vous en empêcherai bien, je vous assure.

VALÈRE – Rien que[2] la mort ne nous peut séparer.

HARPAGON – C'est être bien endiablé après mon argent.

VALÈRE – Je vous ai déjà dit, monsieur, que ce n'était point l'intérêt qui m'avait poussé à faire ce que j'ai fait. Mon cœur n'a point agi par les ressorts que vous pensez, et un motif plus noble m'a inspiré cette résolution.

HARPAGON – Vous verrez que c'est par charité chrétienne qu'il veut avoir mon bien, mais j'y donnerai bon ordre ; et la justice, pendard effronté, me va faire raison[3] de tout.

VALÈRE – Vous en userez comme vous voudrez, et me voilà prêt à souffrir toutes les violences qu'il vous plaira ; mais je vous prie de croire, au moins, que, s'il y a du mal, ce n'est que moi qu'il en faut accuser, et que votre fille en tout ceci n'est aucunement coupable.

HARPAGON – Je le crois bien, vraiment ; il serait fort étrange que ma fille eût trempé dans ce crime. Mais je veux ravoir mon affaire[4], et que tu me confesses en quel endroit tu me l'as enlevée.

VALÈRE – Moi ? je ne l'ai point enlevée, et elle est encore chez vous.

HARPAGON, *à part* – Ô ma chère cassette ! *(Haut.)* Elle n'est point sortie de ma maison ?

VALÈRE – Non, monsieur.

HARPAGON – Hé ! dis-moi donc un peu : tu n'y as point touché ?

VALÈRE – Moi, y toucher ? Ah ! vous lui faites tort, aussi bien qu'à moi ; et c'est d'une ardeur toute pure et respectueuse que j'ai brûlé pour elle.

HARPAGON, *à part* – Brûlé pour ma cassette !

VALÈRE – J'aimerais mieux mourir que de lui avoir fait paraître[1] aucune pensée offensante : elle est trop sage et trop honnête pour cela.

HARPAGON, *à part* – Ma cassette trop honnête !

VALÈRE – Tous mes désirs se sont bornés à jouir de sa vue ; et rien de criminel n'a profané[2] la passion que ses beaux yeux m'ont inspirée.

HARPAGON, *à part* – Les beaux yeux de ma cassette ! Il parle d'elle comme un amant d'une maîtresse.

VALÈRE – Dame Claude, monsieur, sait la vérité de cette aventure, et elle vous peut rendre témoignage…

HARPAGON – Quoi ? ma servante est complice de l'affaire ?

VALÈRE – Oui, monsieur, elle a été témoin de notre engagement ; et c'est après avoir connu l'honnêteté de ma flamme[3] qu'elle m'a aidé à persuader votre fille de me donner sa foi et recevoir la mienne.

Notes

1. **lui avoir fait paraître :** lui avoir témoigné.

2. **profané :** dégradé.

3. **ma flamme :** mon amour.

HARPAGON, *à part* – Eh! Est-ce que la peur de la justice le fait
extravaguer[1]? *(À Valère.)* Que nous brouilles-tu[2] ici de ma
fille?

VALÈRE – Je dis, monsieur, que j'ai eu toutes les peines du monde
à faire consentir sa pudeur à ce que voulait mon amour.

HARPAGON – La pudeur de qui?

VALÈRE – De votre fille; et c'est seulement depuis hier qu'elle a
pu se résoudre à nous signer mutuellement une promesse de
mariage.

HARPAGON – Ma fille t'a signé une promesse de mariage!

VALÈRE – Oui, monsieur, comme de ma part je lui en ai signé
une.

HARPAGON – Ô Ciel! autre disgrâce!

MAÎTRE JACQUES, *au commissaire* – Écrivez, monsieur, écrivez.

HARPAGON – Rengrégement[3] de mal! surcroît de désespoir!
Allons, monsieur, faites le dû de votre charge[4], et dressez-lui-
moi son procès, comme larron[5] et comme suborneur[6].

VALÈRE – Ce sont des noms qui ne me sont point dus; et quand
on saura qui je suis...

Notes

1. **extravaguer** : délirer.
2. **brouiller** : embrouiller.
3. **Rengrégement** : accroissement.
4. **faites le dû de votre charge** : exercez vos fonctions.
5. **larron** : voleur.
6. **suborneur** : séducteur.

Au fil du texte

Questions sur l'acte V, scène 3 (pages 119 à 124)

QUE S'EST-IL PASSÉ ENTRE-TEMPS ?

1 Quelle est la raison de la présence du commissaire chez Harpagon ?

2 Qui maître Jacques dénonce-t-il ?

3 Vous souvenez-vous de la véritable raison de cette accusation ?

AVEZ-VOUS BIEN LU ?

4 À la fin de la scène, sous quelle double inculpation Harpagon demande-t-il au commissaire d'enregistrer sa plainte contre Valère ?

5 Valère est-il coupable de ces deux délits ?

6 En quoi peut-on dire que l'accusation d'Harpagon « *s'introduire exprès chez moi pour me trahir* » (ligne 10) est partiellement vraie ?

ÉTUDIER LE MALENTENDU

7 De quel « *trésor* » est-il question :

a) à la ligne 56 pour Harpagon ?

b) à la ligne 57 pour Valère ?

8 Recherchez dans la scène d'autres mots ou expressions n'ayant pas le même sens pour Harpagon et pour Valère.

9 Quelle est la conséquence de cette polysémie* ?

> *** polysémie :** différents sens que peut prendre un mot.

ÉTUDIER LE QUIPROQUO*

10 Expliquez sur quel quiproquo repose l'ensemble de la scène.

11 Ce quiproquo vous paraît-il vraisemblable* ou non ? Justifiez votre réponse.

ÉTUDIER LE COMIQUE

12 Citez dans la scène des exemples de procédés comiques relevant :

a) du comique de situation ;

b) de l'exagération ;

c) du ton de certaines répliques.

ÉTUDIER LA PLACE ET LA FONCTION DE L'EXTRAIT DANS L'ŒUVRE

13 Relevez les éléments qui montrent que Valère agit en honnête homme*.

14 Recopiez la réplique de Valère qui laisse subsister un mystère quant à sa véritable identité.

15 Cette identité laisse-t-elle entrevoir un dénouement* ? Pourquoi ?

> *quiproquo :
> malentendu entre des personnages qui discutent en prenant une personne ou une chose pour une autre.
>
> *vraisemblable :
> crédible, réaliste.

> *honnête homme :
> homme vertueux, intègre, qui a le sens du devoir.
>
> *dénouement :
> fin de la pièce qui fixe le sort des personnages.

À VOS PLUMES !

16 Rédigez un dialogue reposant sur un quiproquo. Imaginez, par exemple, qu'un locuteur parle d'une personne (ou d'une chose) et que son interlocuteur lui réponde en pensant à une autre. Le malentendu sera levé à l'issue d'une dizaine de répliques.

SCÈNE 4

ÉLISE, MARIANE, FROSINE, HARPAGON, VALÈRE,
MAÎTRE JACQUES, LE COMMISSAIRE, SON CLERC

1 HARPAGON – Ah! fille scélérate! fille indigne d'un père comme
moi! c'est ainsi que tu pratiques les leçons que je t'ai données?
Tu te laisses prendre d'amour pour un voleur infâme, et tu lui
engages ta foi sans mon consentement? Mais vous serez trom-
5 pés[1] l'un et l'autre. *(À Élise.)* Quatre bonnes murailles[2] me
répondront de ta conduite; *(à Valère)* et une bonne potence
me fera raison de ton audace.

VALÈRE – Ce ne sera point votre passion qui jugera l'affaire; et
l'on m'écoutera, au moins, avant que de[3] me condamner.

10 HARPAGON – Je me suis abusé[4] de dire une potence, et tu seras
roué tout vif[5].

ÉLISE, *à genoux devant son père* – Ah! mon père, prenez des sentiments un peu plus humains, je vous prie, et n'allez point
pousser les choses dans les dernières violences du pouvoir
15 paternel. Ne vous laissez point entraîner aux premiers mouvements de votre passion, et donnez-vous le temps de considérer
ce que vous voulez faire. Prenez la peine de mieux voir celui
dont vous vous offensez[6]; il est tout autre que vos yeux ne le
jugent; et vous trouverez moins étrange que je me sois don-
20 née à lui lorsque vous saurez que sans lui vous ne m'auriez plus
il y a[7] longtemps. Oui, mon père, c'est celui qui me sauva de
ce grand péril que vous savez que je courus dans l'eau, et à qui
vous devez la vie de cette même fille dont…

Notes

1. **vous serez trompés** : vos projets
n'aboutiront pas.
2. **murailles** : ici les murs du couvent.
3. **avant que de** : avant de.
4. **Je me suis abusé** : je me suis trompé.

5. **roué tout vif** : soumis au supplice de
la roue.
6. **celui dont vous vous offensez** : celui
par qui vous pensez être offensé.
7. **il y a** : depuis.

HARPAGON – Tout cela n'est rien ; et il valait bien mieux pour
25 moi qu'il te laissât noyer que de faire ce qu'il a fait.

ÉLISE – Mon père, je vous conjure, par l'amour paternel, de
me…

HARPAGON – Non, non, je ne veux rien entendre ; et il faut que
la justice fasse son devoir.

30 MAÎTRE JACQUES, *à part* – Tu me payeras mes coups de bâton.

FROSINE, *à part* – Voici un étrange embarras.

SCÈNE 5

ANSELME, HARPAGON, ÉLISE, MARIANE, FROSINE, VALÈRE,
MAÎTRE JACQUES, LE COMMISSAIRE, SON CLERC

1 ANSELME – Qu'est-ce, seigneur Harpagon ? je vous vois tout
ému.

HARPAGON – Ah ! seigneur Anselme, vous me voyez le plus
infortuné de tous les hommes, et voici bien du trouble et du
5 désordre au contrat que vous venez faire ! On m'assassine dans
le bien, on m'assassine dans l'honneur ; et voilà un traître,
un scélérat, qui a violé tous les droits les plus saints, qui s'est
coulé[1] chez moi sous le titre de domestique, pour me dérober
mon argent et pour me suborner[2] ma fille.

10 VALÈRE – Qui songe à votre argent, dont[3] vous me faites un
galimatias[4] ?

HARPAGON – Oui, ils se sont donné l'un à l'autre une promesse
de mariage. Cet affront vous regarde, seigneur Anselme, et
c'est vous qui devez vous rendre partie[5] contre lui, et faire

---

Notes

1. **coulé** : introduit.
2. **suborner** : séduire, corrompre.
3. **dont** : pour lequel.

4. **galimatias** : paroles confuses,
incompréhensibles.
5. **rendre partie** : attaquer en justice.

15 toutes les poursuites de la justice pour vous venger de son insolence.

ANSELME – Ce n'est pas mon dessein de me faire épouser par force, et de rien prétendre[1] à un cœur qui se serait donné ; mais pour vos intérêts je suis prêt à les embrasser[2] ainsi que les
20 miens propres.

HARPAGON – Voilà monsieur qui est un honnête commissaire, qui n'oubliera rien, à ce qu'il m'a dit, de la fonction de son office. *(Au commissaire.)* Chargez-le comme il faut, monsieur, et rendez les choses bien criminelles.

25 VALÈRE – Je ne vois pas quel crime on me peut faire de la passion que j'ai pour votre fille ; et le supplice où[3] vous croyez que je puisse être condamné pour notre engagement, lorsqu'on saura ce que je suis…

HARPAGON – Je me moque de tous ces contes ; et le monde
30 aujourd'hui n'est plein que de ces larrons de noblesse[4], que de ces imposteurs, qui tirent avantage de leur obscurité, et s'habillent insolemment du premier nom illustre qu'ils s'avisent de prendre.

VALÈRE – Sachez que j'ai le cœur trop bon[5] pour me parer de
35 quelque chose qui ne soit point à moi, et que tout Naples peut rendre témoignage de ma naissance.

ANSELME – Tout beau ! prenez garde à ce que vous allez dire. Vous risquez ici plus que vous ne pensez ; et vous parlez devant un homme à qui tout Naples est connu, et qui peut aisément
40 voir clair dans l'histoire que vous ferez.

VALÈRE, *en mettant fièrement son chapeau* – Je ne suis point homme à rien craindre, et si Naples vous est connu, vous savez qui était Dom Thomas d'Alburcy.

Notes

1. **de rien prétendre** : d'exiger.
2. **embrasser** : partager.
3. **où** : auquel.
4. **larrons de noblesse** : faux nobles.
5. **bon** : fier, noble.

ANSELME – Sans doute, je le sais ; et peu de gens l'ont connu mieux que moi.

HARPAGON – Je ne me soucie ni de Dom Thomas ni de Dom Martin.

ANSELME – De grâce, laissez-le parler, nous verrons ce qu'il en veut dire.

VALÈRE – Je veux dire que c'est lui qui m'a donné le jour.

ANSELME – Lui ?

VALÈRE – Oui.

ANSELME – Allez ; vous vous moquez. Cherchez quelque autre histoire, qui vous puisse mieux réussir, et ne prétendez pas vous sauver sous cette imposture.

VALÈRE – Songez à mieux parler. Ce n'est point une imposture ; et je n'avance rien qu'il ne me soit aisé de justifier.

ANSELME – Quoi ? vous osez vous dire fils de Dom Thomas d'Alburcy ?

VALÈRE – Oui, je l'ose ; et je suis prêt de[1] soutenir cette vérité contre qui que ce soit.

ANSELME – L'audace est merveilleuse. Apprenez, pour vous confondre, qu'il y a seize ans pour le moins que l'homme dont vous nous parlez périt sur mer avec ses enfants et sa femme, en voulant dérober leur vie[2] aux cruelles persécutions qui ont accompagné les désordres de Naples[3], et qui en firent exiler plusieurs nobles familles.

VALÈRE – Oui ; mais apprenez, pour vous confondre, vous, que son fils, âgé de sept ans, avec un domestique, fut sauvé de ce naufrage par un vaisseau espagnol, et que ce fils sauvé est celui qui vous parle ; apprenez que le capitaine de ce vaisseau, touché de ma fortune, prit amitié pour moi, qu'il me

Notes

1. **prêt de** : prêt à.
2. **dérober leur vie** : sauver leur vie.
3. **les désordres de Naples** : révolte de Masaniello (1647-1648).

fit élever comme son propre fils, et que les armes furent mon emploi dès que je m'en trouvai capable ; que j'ai su depuis peu que mon père n'était point mort, comme je l'avais toujours cru ; que passant ici pour l'aller chercher, une aventure, par le Ciel concertée, me fit voir la charmante Élise ; que cette vue me rendit esclave de ses beautés ; et que la violence de mon amour, et les sévérités de son père, me firent prendre la résolution de m'introduire dans son logis, et d'envoyer un autre à la quête de mes parents.

ANSELME – Mais quels témoignages encore, autres que vos paroles, nous peuvent assurer que ce ne soit point une fable que vous ayez bâtie sur une vérité ?

VALÈRE – Le capitaine espagnol ; un cachet de rubis[1] qui était à mon père ; un bracelet d'agate que ma mère m'avait mis au bras ; le vieux Pedro, ce domestique qui se sauva avec moi du naufrage.

MARIANE – Hélas ! à vos paroles je puis ici répondre, moi, que vous n'imposez point[2] ; et tout ce que vous dites me fait connaître clairement que vous êtes mon frère.

VALÈRE – Vous ma sœur ?

MARIANE – Oui. Mon cœur s'est ému dès le moment que[3] vous avez ouvert la bouche ; et notre mère, que vous allez ravir, m'a mille fois entretenue des disgrâces de notre famille. Le Ciel ne nous fit point aussi[4] périr dans ce triste naufrage ; mais il ne nous sauva la vie que par la perte de notre liberté ; et ce furent des corsaires qui nous recueillirent, ma mère et moi, sur un débris de notre vaisseau. Après dix ans d'esclavage, une heureuse fortune nous rendit notre liberté, et nous retournâmes dans Naples, où nous trouvâmes tout notre bien vendu, sans y

---

Notes

1. **cachet de rubis** : sceau qui permet d'imprimer une marque.
2. **vous n'imposez point** : vous ne mentez pas.

3. **le moment que** : le moment où.
4. **aussi** : non plus.

pouvoir trouver des nouvelles de notre père. Nous passâmes à Gênes, où ma mère alla ramasser quelques malheureux restes d'une succession qu'on avait déchirée[1]; et de là, fuyant la barbare injustice de ses parents, elle vint en ces lieux, où elle n'a presque vécu que d'une vie languissante[2].

ANSELME – Ô Ciel! quels sont les traits de ta puissance! et que tu fais bien voir qu'il n'appartient qu'à toi de faire des miracles! Embrassez-moi, mes enfants, et mêlez tous deux vos transports à ceux de votre père.

VALÈRE – Vous êtes notre père?

MARIANE – C'est vous que ma mère a tant pleuré?

ANSELME – Oui, ma fille, oui, mon fils, je suis Dom Thomas d'Alburcy, que le Ciel garantit des ondes[3] avec tout l'argent qu'il portait, et qui vous ayant tous crus morts durant plus de seize ans, se préparait, après de longs voyages, à chercher dans l'hymen d'une douce et sage personne la consolation de quelque nouvelle famille. Le peu de sûreté que j'ai vu pour ma vie à retourner à Naples m'a fait y renoncer pour toujours; et ayant su trouver moyen d'y faire vendre ce que j'avais, je me suis habitué[4] ici, où, sous le nom d'Anselme, j'ai voulu m'éloigner[5] les chagrins de cet autre nom qui m'a causé tant de traverses[6].

HARPAGON – C'est là votre fils?

ANSELME – Oui.

HARPAGON – Je vous prends à partie[7], pour me payer dix mille écus qu'il m'a volés.

ANSELME – Lui, vous avoir volé?

HARPAGON – Lui-même.

130 VALÈRE – Qui vous dit cela?

HARPAGON – Maître Jacques.

VALÈRE – C'est toi qui le dis?

MAÎTRE JACQUES – Vous voyez que je ne dis rien.

HARPAGON – Oui : voilà monsieur le Commissaire qui a reçu
135 sa déposition.

VALÈRE – Pouvez-vous me croire capable d'une action si lâche?

HARPAGON – Capable ou non capable, je veux ravoir mon
argent.

Quelques pièces de l'époque de Molière
à l'effigie de Louis XIII et de Louis XIV.

Au fil du texte

Questions sur l'acte V, scène 5 (pages 128 à 133)

QUE S'EST-IL PASSÉ ENTRE-TEMPS ?

❶ Comment Harpagon réagit-il en apprenant la liaison de Valère avec Élise ?

❷ Que demande alors Élise à son père ?

❸ Expliquez la réplique de maître Jacques : « *Tu me payeras mes coups de bâton.* » (Acte V, scène 4, ligne 30.)

AVEZ-VOUS BIEN LU ?

❹ Qu'apprend-on sur la véritable identité de :

a) Valère ?

b) Mariane ?

c) Anselme ?

❺ Comment Harpagon réagit-il face à cette situation ?

ÉTUDIER L'EXPRESSION DE L'ORDRE

❻ Relevez, dans les lignes 53 à 67, tous les verbes conjugués à l'impératif présent.

❼ Donnez leur forme infinitive.

❽ Quels traits de caractère d'Anselme et de Valère l'emploi de ce mode révèle-t-il ?

ÉTUDIER LE RÉCIT DE MARIANE (LIGNES 93 À 106)

9 À quel moment de la réplique le récit de Mariane commence-t-il véritablement?

10 Quel est le temps dominant dans ce récit?

11 Relevez tous les verbes conjugués à ce temps et donnez leur forme infinitive.

12 Proposez ce récit sous la forme d'un schéma reprenant les étapes principales.

13 Relevez les éléments qui rendent ce récit pathétique*.

14 À quel genre littéraire* autre que le théâtre ce récit pourrait il appartenir?

> *pathétique :* émouvant, touchant, qui fait venir la larme à l'œil.
>
> *genre littéraire :* il désigne des ensembles de textes regroupés selon des caractéristiques communes : le théâtre, le roman, la poésie...

ÉTUDIER LA PLACE ET LA FONCTION DE L'EXTRAIT DANS L'ŒUVRE

15 Pourquoi peut-on dire que cette scène repose sur un triple coup de théâtre*?

16 Relevez l'une des répliques d'Anselme permettant de penser qu'il n'épousera pas Élise.

17 Lisez la scène 6 et résumez le dénouement*.

> *coup de théâtre :* événement inattendu qui modifie brutalement le cours de l'intrigue.
>
> *dénouement :* fin de la pièce qui fixe le sort des personnages.

LIRE L'IMAGE

18 Décrivez en quelques phrases la scène représentée par l'illustration de la page 137.

19 Dans la scène 5, relevez les mots ou expressions que l'on peut mettre en relation avec cette illustration.

20) Quels sont, selon vous, les avantages respectifs :

a) d'un récit par l'image ?

b) d'un récit par les mots ?

À VOS PLUMES !

21) Racontez une mésaventure de votre enfance. Vous utiliserez le passé simple comme temps dominant et vous efforcerez de rendre votre récit pathétique.

Yeux exorbités,
doigts recroquevillés,
visage excessivement tendu :
tout montre ici
la folie d'Harpagnon.

Cap: 40

Représentation d'un naufrage au XVIIe siècle
(gravure d'Othon-Frédéric von der Gröben, 1694).

SCÈNE 6

CLÉANTE, VALÈRE, MARIANE, ÉLISE, FROSINE,
HARPAGON, ANSELME, MAÎTRE JACQUES, LA FLÈCHE,
LE COMMISSAIRE, SON CLERC

1 CLÉANTE – Ne vous tourmentez point, mon père, et n'accusez personne. J'ai découvert des nouvelles de votre affaire, et je viens ici pour vous dire que, si vous voulez vous résoudre à me laisser épouser Mariane, votre argent vous sera rendu.

5 HARPAGON – Où est-il ?

CLÉANTE – Ne vous en mettez point en peine : il est en lieu dont je réponds, et tout ne dépend que de moi. C'est à vous de me dire à quoi vous vous déterminez ; et vous pouvez choisir, ou de me donner Mariane, ou de perdre votre cassette.

10 HARPAGON – N'en a-t-on rien ôté ?

CLÉANTE – Rien du tout. Voyez si c'est votre dessein de souscrire à ce mariage, et de joindre votre consentement à celui de sa mère, qui lui laisse la liberté de faire un choix entre nous deux.

15 MARIANE – Mais vous ne savez pas que ce n'est pas assez que ce consentement, et que le Ciel, avec un frère que vous voyez, vient de me rendre un père dont vous avez à m'obtenir.

ANSELME – Le Ciel, mes enfants, ne me redonne point à vous pour être contraire à vos vœux. Seigneur Harpagon, vous
20 jugez bien que le choix d'une jeune personne tombera sur le fils plutôt que sur le père. Allons, ne vous faites point dire ce qu'il n'est pas nécessaire d'entendre, et consentez ainsi que moi à ce double hyménée[1].

HARPAGON – Il faut, pour me donner conseil, que je voie ma
25 cassette.

---

 1. hyménée : mariage.

CLÉANTE – Vous la verrez saine et entière.

HARPAGON – Je n'ai point d'argent à donner en mariage à mes enfants.

ANSELME – Hé bien! j'en ai pour eux; que cela ne vous inquiète point.

HARPAGON – Vous obligerez-vous à faire tous les frais de ces deux mariages?

ANSELME – Oui, je m'y oblige : êtes-vous satisfait?

HARPAGON – Oui, pourvu que pour les noces vous me fassiez faire un habit.

ANSELME – D'accord. Allons jouir de l'allégresse que cet heureux jour nous présente.

LE COMMISSAIRE – Holà! messieurs, holà! tout doucement, s'il vous plaît : qui me payera mes écritures[1]?

HARPAGON – Nous n'avons que faire de vos écritures.

LE COMMISSAIRE – Oui! mais je ne prétends pas, moi, les avoir faites pour rien.

HARPAGON – Pour votre payement *(montrant maître Jacques)*, voilà un homme que je vous donne à pendre.

MAÎTRE JACQUES – Hélas! comment faut-il donc faire? On me donne des coups de bâton pour dire vrai, et on me veut pendre pour mentir.

ANSELME – Seigneur Harpagon, il faut lui pardonner cette imposture.

HARPAGON – Vous payerez donc le Commissaire?

ANSELME – Soit. Allons vite faire part de notre joie à votre mère.

HARPAGON – Et moi, voir ma chère cassette.

Note

1. **mes écritures** : les dépositions de maître Jacques et de Valère.

Au fil du texte

Questions sur l'acte V, scènes 5 et 6 (pages 128 à 139)

LIRE L'IMAGE

1 À votre avis, qui est Anselme ? Qui est Harpagon ?

2 Décrivez, en les opposant, ces deux costumes.

3 Pourquoi peut-on affirmer que Pierre Savignac avait bien compris la pièce lorsqu'il a dessiné la physionomie et le costume de ces deux personnages ?

4 Montrez que le personnage d'Anselme est l'antithèse (opposition entre deux idées, deux expressions, deux personnes que l'on rapproche pour mieux en faire ressortir le contraste) de celui d'Harpagon.

5 Illustrez votre réponse par quelques répliques de ce dernier acte.

La pièce *L'Avare* fut donnée à la Comédie-Française
pendant 20 ans (de 1969 à 1989) dans une mise en scène
dont on parle encore : celle de Jean-Paul Roussillon
avec Michel Aumont en Harpagon (*cf.* p. 170).
Les décors et les costumes avaient été dessinés
par le peintre humoriste Pierre Savignac.
Nous vous en proposons ici deux exemples.

Retour sur l'œuvre

Activités autour de *L'Avare*

LES PERSONNAGES

1 Retrouvez chaque personnage à partir de sa caractérisation.

Traits distinctifs	Personnages
Entremetteuse, flatteuse, intrigante, cupide	
Jeune aristocrate, imposteur, cynique, intelligent	
Rival de son père, dépensier, amoureux, irrespectueux	
Noble, napolitain, généreux, honnête homme	
Naïf, franc, rancunier, accusateur	
Réservée, craintive, amoureuse, terrorisée par son père	
Riche bourgeois, veuf, avare, despote	
Pauvre, amoureuse, docile, vit avec sa mère	
Observateur, malin, voleur mais loyal envers son maître	

2 Classez ces neuf personnages selon trois « familles » :
les serviteurs – la famille du riche bourgeois – la famille du noble napolitain.

LA FOURMI N'EST PAS PRÊTEUSE. C'EST LÀ SON MOINDRE DÉFAUT.

SUCRE

MIEL

COTS

FRAISES

CERISE

Illustration de Félix Lorioux (vers 1930)
pour la *Fable* de La Fontaine : « La Cigale et la Fourmi »...
Autre histoire d'avarice...

❸ Relevez dans cette illustration les éléments prouvant que *« La fourmi
n'est pas prêteuse »*.

❹ Si vous aviez à représenter l'avarice d'Harpagon, quels sont les éléments de cette illustration que vous conserveriez ? Quels sont ceux
que vous remplaceriez et par quoi ?

5 Qui suis-je?

Je suis un personnage féminin, on parle souvent de moi mais je n'apparais jamais sur scène.

Je suis un personnage féminin, je n'apparais qu'une seule fois sur scène mais je ne parle pas.

Je suis un personnage masculin, j'apparais dans plusieurs scènes mais je ne parle jamais.

L'INTRIGUE

6 Retrouvez auteurs et victimes des faits suivants.

Auteurs	Faits	Victimes
	Vol d'une cassette	
	Fouille de vêtements	
	Dénonciation injuste du vol de la cassette	
	« Emprunt » d'une bague sertie d'un diamant	
	Chantage pour épouser Mariane	

7 Qu'avez-vous retenu du naufrage et de la noyade dont il est question dans la pièce?

8 Quel quiproquo est à l'origine d'une querelle entre Harpagon et Valère?

9 Quel coup de théâtre permet un dénouement heureux pour tous les personnages?

LE THÈME DE L'ARGENT

❿ Donnez quelques exemples de l'avarice d'Harpagon s'exerçant :

a) sur ses serviteurs;

b) sur ses enfants;

c) sur Mariane.

⓫ Citez quelques moyens que Cléante essaie d'employer pour se procurer de l'argent.

⓬ Et si Harpagon et l'Oncle Picsou se rencontraient… Quels conseils s'échangeraient-ils sur la gestion de leurs biens? sur le mariage des enfants? sur le rapport avec leurs domestiques?

⓭ Et s'ils se disputaient? Comment cela finirait-il?

14 À quel genre théâtral appartient *L'Avare*?

- ❏ La comédie-ballet
- ❏ La tragédie
- ❏ La comédie de mœurs et de caractères
- ❏ Le vaudeville

15 Dans cette comédie, Molière s'efforce de :

- ❏ faire l'éloge de l'avarice
- ❏ faire rire en ridiculisant les avares pour les dénoncer
- ❏ valoriser les pères très autoritaires avec leurs enfants
- ❏ promouvoir les mariages d'argent
- ❏ flatter les riches bourgeois

LE VOCABULAIRE

16 Mettez en relation chacun des termes suivants utilisés par Molière avec sa définition.

Aiguillettes	❏	❏ Culottes très larges
Brocards	❏	❏ Écouter
Damoiseaux	❏	❏ Honnêteté
Galimatias	❏	❏ Immédiatement
Hauts-de-chausses	❏	❏ Jeunes gens
Ouïr	❏	❏ Moqueries
Oracle	❏	❏ Objets sans valeur
Probité	❏	❏ Paroles confuses
Rogatons	❏	❏ Prophétie
Tout à l'heure	❏	❏ Lacets qui attachent les hauts-de-chausses

17 Expliquez les termes suivants : *scène d'exposition – coup de théâtre – quiproquo – didascalie – dénouement*; et pour chacun d'eux donnez un exemple extrait de la pièce.

« Au voleur ! au voleur ! à l'assassin ! »
(acte IV, scène 7).

Jean-Baptiste Fauchard (1737-1816),
dit Grandmesnil, dans le rôle d'Harpagon.

Dossier Bibliocollège

L'Avare

L'Avare est une comédie en cinq actes et en prose. Sa première représentation a lieu le 9 septembre 1668, au théâtre du Palais-Royal. Le texte a été publié le 18 février 1669.

Tout en continuant à lutter pour que *Le Tartuffe*, pièce interdite en 1664, soit représenté, Molière se tourne vers le répertoire latin et s'inspire de *La Marmite* de Plaute pour composer une pièce qui ne risquera pas de choquer : *L'Avare*.

L'Avare

Destinée avant tout à faire rire, la pièce dénonce l'avarice et l'autorité abusive des pères.

L'Avare n'obtient pas un très grand succès du temps de Molière. La pièce est jouée en alternance avec d'autres comédies et, en février 1669, elle est remplacée par *Le Tartuffe* dont le roi vient enfin d'autoriser la représentation.

Une structure classique

	Acte I : l'exposition	
I	**Les amours** Sc. 1 : Élise et Valère Sc. 2 : Cléante et Mariane Sc. 3 : Harpagon et l'argent	**Les problèmes** Harpagon veut épouser Mariane, marier Élise au seigneur Anselme et Cléante à une veuve.

	Actes II à IV : les péripéties
II	**Harpagon : un usurier** Sc. 1 : Cléante, à qui son père ne donne pas d'argent, se montre prêt à en emprunter à un usurier (financier prêtant à un taux abusif). Sc. 2 : Cléante et Harpagon se rencontrent : le premier découvre que son père est l'usurier, le second que son fils est l'emprunteur.
II	**Les préparatifs du mariage d'Harpagon** Sc. 3 à 5 : Frosine sert les intérêts d'Harpagon qui ne compte pas la payer.
III	Sc. 1 : L'organisation de la réception souligne l'avarice d'Harpagon. Sc. 7 : Sous prétexte de faire bon accueil à Mariane, sa future belle-mère, Cléante lui déclare son amour.
IV	**Cléante, rival de son père** Sc. 3 : Harpagon amène Cléante à lui avouer son amour pour Mariane. Sc. 6 et 7 : La Flèche a volé le trésor d'Harpagon, qui est anéanti.

	Acte V : le dénouement
V	Sc. 3 : Valère, accusé par Maître Jacques d'être le voleur, avoue son amour pour Élise. *Coup de théâtre* (sc. 5) : Anselme est le père de Valère et de Mariane. *Dénouement* (sc. 6) : Valère et Élise, Cléante et Mariane se marient ; Harpagon retrouve sa cassette.

Un roi absolu

Louis XIV règne en **roi absolu**, sans Premier ministre, de 1661 à 1715. L'aristocratie n'a plus de pouvoir et les grands deviennent des **courtisans** qui participent à la vie fastueuse de Versailles et attendent des rentes de la part du roi.

Le prestige de la France

Les constructions (le château de Versailles et ses jardins) et les fêtes font de la France un **modèle européen** que d'autres monarques vont imiter. La France rayonne, mais elle est **ruinée**.

UNE MONARCHIE ABSOLUE

Louis XIV et le classicisme

En aménageant son domaine de Versailles, Louis XIV impose le **classicisme**, une esthétique caractérisée par la simplicité et l'ordre.

Louis XIV et le théâtre

L'autorité du roi s'exerce aussi sur les idées : il **décide de ce qui peut être écrit ou joué** sur scène. Ainsi c'est lui qui confie à Molière le théâtre du Petit-Bourbon, en 1658, puis celui du Palais-Royal, en 1661. Mais c'est lui également qui interdira *Le Tartuffe* en 1664 et chassera de Paris, en 1697, les Comédiens-Italiens, jugés trop divertissants. Pour subvenir à leurs besoins, les auteurs doivent trouver un protecteur.

Un courant européen : le baroque

Le baroque domine en Europe jusqu'à la seconde moitié du XVIIIe siècle. Il se caractérise par la **richesse** des décors, l'importance des miroirs, des masques et des **trompe-l'œil**, comme dans nos deux comédies.

Un courant français : le classicisme

Le classicisme, soutenu par Louis XIV, est, lui, un courant spécifiquement français. S'inspirant de l'**Antiquité**, il recommande l'**équilibre** et la **rigueur**. Les architectes Mansart et Le Vau suivent ce modèle pour la création du château de Versailles et Le Nôtre pour les jardins dits « à la française ». En 1674, Boileau fixera les règles de la littérature classique dans son *Art poétique*.

LE CONTEXTE ARTISTIQUE

L'âge d'or du théâtre

Reprenant les modèles antiques, les **tragédies** expriment la misère de l'homme face à un destin qui le dépasse. En vers et en cinq actes, elles forment le genre littéraire le plus noble. Pierre **Corneille** et Jean **Racine** y excellent. La **comédie**, d'inspiration plus populaire, sera considérée, jusqu'à la fin du XVIIIe siècle, comme un genre secondaire. **Molière** est son auteur le plus célèbre.

Une vie difficile

Les comédiens appartiennent à des troupes et leur vie est très difficile. Si Molière connaît un grand succès, son existence n'en demeure pas moins mouvementée. Pour survivre, un auteur doit savoir échapper à la **censure**, affronter les **jalousies** et séduire un **public souvent agité**.

Le rejet de l'Église

Le mensonge et le divertissement étant leur métier, les comédiens sont **excommuniés**, c'est-à-dire exclus de la religion catholique. Les sacrements leur sont refusés et c'est pour cette raison que les funérailles de Molière auront lieu discrètement de nuit.

ÊTRE COMÉDIEN AU XVIIe SIÈCLE

Jouer devant une salle éclairée

Du temps de Molière, les pièces de théâtre sont jouées dans des conditions bien différentes de celles que nous connaissons aujourd'hui. La **salle reste éclairée** durant tout le spectacle et les chandelles produisent une **fumée désagréable**.

Jouer devant un public facilement distrait

Le théâtre réunit différentes classes sociales. En bas, au **parterre**, les spectateurs sont debout. Dans les **loges**, sur les côtés, les personnes de condition plus élevée poursuivent les conversations entamées dans les salons. Certains spectateurs importants sont installés **sur la scène même**, de chaque côté.

Les Comédiens-Italiens à Paris

Depuis la fin du XVIᵉ siècle, les Comédiens-Italiens obtiennent un grand succès à Paris. Leur théâtre très codifié (la *commedia dell'arte*) met en scène des **personnages types**, qui ne changent pas d'une pièce à l'autre : Dottore le pédant, Pantalon l'avare, ainsi que les *zanni* (les valets) Arlequin, Scapin et Polichinelle. L'intrigue est réduite à un schéma (le *scenario*) et **les acteurs improvisent**, brodent sur ce canevas en ajoutant toutes les acrobaties (les *lazzis*, c'est-à-dire les jeux de scène) qui correspondent à leur rôle.

LES DIFFÉRENTES TROUPES À L'ÉPOQUE DE MOLIÈRE

Avant Molière : deux troupes officielles

Quand Molière arrive à Paris, après une vie de comédien itinérant en province, deux troupes officielles cohabitent : celle de l'**Hôtel de Bourgogne** (les Grands Comédiens), subventionnée par le roi, et celle, non subventionnée, du **Marais** (les Petits Comédiens).

Vers la Comédie-Française

En **1658**, le roi accorde à Molière une salle, puis, en 1665, une rente annuelle est versée à sa troupe.
En **1680**, sept ans après le décès de Molière, Louis XIV décide la fusion de l'hôtel de Bourgogne, de la troupe du Marais et de celle de Molière : la **Comédie-Française** est née. Elle continue de jouer aujourd'hui le répertoire classique.

I – Une comédie selon le modèle des classiques

➡ Le baroque

Le mot *baroque* vient du terme portugais *barroco*, qui désigne une perle irrégulière. On l'emploie pour qualifier un mouvement qui, né en Italie à la fin du XVIe siècle, s'étend en Europe jusqu'au milieu du XVIIIe. Caractérisé par des décors chargés, le baroque exprime une vision complexe, voire angoissée, de la réalité.

> **À RETENIR**
>
> Le baroque naît à la fin de la Renaissance.

Les règles du théâtre classique	
La règle des trois unités	La pièce doit se dérouler en un seul endroit (unité de lieu), ne pas excéder une journée (unité de temps) et ne développer qu'une seule intrigue (unité d'action).
La règle de la vraisemblance	Le dramaturge (auteur de pièces) ne doit représenter que ce qui est vraisemblable, ce qui pourrait avoir vraiment eu lieu.
La règle de la bienséance	La pièce ne doit pas choquer le spectateur ; ainsi, dans la tragédie, on évitera de représenter, sur scène, la mort d'un personnage : « *Ce qu'on ne doit point voir, qu'un récit nous l'expose* » (Boileau).

➥ Le classicisme : une réaction au baroque

En France, au milieu du XVIIᵉ siècle, se développe une réaction à ce mouvement : le classicisme. À l'inverse du baroque, il prône (recommande) la mesure, la simplicité et la rigueur. Ce courant marquera nos arts et notre littérature jusqu'à ce que le romantisme le remette en question au début du XIXᵉ siècle.

> **À RETENIR**
> En 1635, Richelieu fonde l'Académie française.

➥ Les classiques s'inspirent des Anciens

À la Renaissance, les artistes et les écrivains redécouvrent les œuvres des artistes grecs et latins qui deviennent leurs modèles. C'est pourquoi, à partir du XVIᵉ siècle, les dramaturges français imitent la tragédie et la comédie antiques.

Imiter les Anciens n'est pas, à cette époque, le signe d'un manque d'imagination ou la volonté de plagier (copier sans autorisation) une œuvre, mais un hommage rendu à leur talent. Ainsi, non seulement *L'Avare* de Molière reprend-il l'intrigue et les personnages types de la comédie latine, mais encore il puise directement dans *La Marmite* de l'auteur comique Plaute (IIIᵉ-IIᵉ s. av. J.-C.). Voir page 162.

> **À RETENIR**
> Fin XVIIᵉ siècle : querelle des Anciens et des Modernes. Faut-il imiter les Anciens ou proposer de nouvelles formes littéraires ?

➥ Le théâtre classique obéit à des règles

Pour satisfaire aux critères de simplicité propres à l'esthétique classique, le théâtre du XVIIᵉ siècle obéit à des règles que Nicolas Boileau formulera dans son *Art poétique* en 1674. C'est ce que met en pratique Molière en centrant son intrigue sur les préparatifs du mariage d'Harpagon avec Mariane.

> **À RETENIR**
> « Qu'en un lieu, qu'en un jour, un seul fait accompli / Tienne jusqu'à la fin le théâtre rempli » (Boileau).

II – La comédie : entre codification et liberté

➡ Des personnages codifiés

La comédie situe l'intrigue au sein d'une famille bourgeoise, laissant à la tragédie les personnages nobles (rois, reines, princes, héros mythiques). Cette intrigue met donc le plus souvent en présence des pères, des jeunes gens, des valets ou des servantes (les esclaves de la comédie antique).

> **À RETENIR**
> La comédie parle de la bourgeoisie, la tragédie parle de la noblesse.

Les personnages de comédie sont simplifiés, comme nous le rappellent les masques que les comédiens portaient sur scène dans l'Antiquité. Leur psychologie se réduit à quelques traits de caractère que l'on retrouve d'une intrigue à l'autre.

Quelques personnages types de la comédie	
Le barbon	Un père égoïste, avare et très autoritaire, souvent stupide.
Les jeunes gens	Amoureux, ils ne savent pas toujours comment défendre leurs intérêts.
Le valet	Rusé, débrouillard, insolent.
L'entremetteuse	Femme qui facilite les mariages contre de l'argent.

➡ Une certaine liberté

La comédie est un genre souple, ce qui autorise Molière à prendre quelques libertés par rapport aux règles en vigueur. Alors que le classicisme préconise une seule intrigue (unité d'action), *L'Avare* en propose trois : Valère et Élise, Cléante et Mariane, Harpagon et Mariane. Mais, ces trois histoires ayant comme pivot le personnage central de l'avare, on voit que Molière ne s'écarte pas radicalement du modèle classique.

> **À RETENIR**
> Molière doit cette liberté à l'influence de la *commedia dell'arte*.

> **Un amour contrarié et un dénouement heureux**
>
> Comme dans les comédies latines et la plupart des pièces de Molière, *L'Avare* met en scène deux jeunes gens dont l'amour est contrarié par un père autoritaire, égoïste et monomaniaque (qui a une unique obsession). Le dénouement, en permettant le mariage des amoureux, consacre le triomphe de l'amour sincère sur les abus de pouvoir et les obsessions.

III – Les fonctions de la comédie

➡ **Faire rire**

En enchaînant les rebondissements et les quipro-quos, Molière tient son spectateur en haleine. Le double coup de théâtre final, qui révèle que le seigneur Anselme est le père de Mariane et de Valère, marque le point culminant du rythme endiablé qui entraîne les personnages et la salle depuis la scène 3 du premier acte.

> **À RETENIR**
>
> La fonction première de la comédie est de distraire le public.

Pour provoquer le rire de son public, Molière entrecroise toutes les formes de comiques. Le monologue d'Harpagon, à la toute fin de l'acte IV, est devenu un morceau d'anthologie (passage très célèbre) : l'avare, aveuglé par sa folie, va jusqu'à s'en prendre à lui-même et aux spectateurs !

Les ressorts du comique dans *L'Avare*	
Comique de situation	Cléante comprend que son père ne lui donne pas Mariane en mariage mais veut l'épouser lui-même (acte I, scène 4).
Comique de caractère	L'avarice d'Harpagon.
Comique de mots	Répétition de *« sans dot »* (acte I, scène 5).
Comique de gestes	Harpagon soupçonnant et fouillant La Flèche (acte I, scène 3).

➦ Critiquer les défauts des hommes

« *Castigat ridendo mores* » : « Elle [la comédie] corrige les mœurs par le rire. » Molière fera sienne cette devise latine. Selon lui, le rire permet de dénoncer les travers des hommes pour les amener à s'améliorer : c'est la **fonction satirique** de la comédie.

Les obsessions, qu'il s'agisse de l'argent, de l'ambition sociale *(Le Bourgeois gentilhomme)* ou de la maladie *(Le Malade imaginaire)*, sont régulièrement la cible d'un dramaturge toujours prêt à dénoncer, grâce au rire, tous ceux qui, excessifs et prisonniers d'une passion égoïste, ne savent pas s'adapter au monde qui les entoure.

Louis de Funès fait partie des interprètes qui ont immortalisé le personnage d'Harpagon. Célèbre pour son jeu de mimiques, il exprime ici la fureur de l'Avare face à son fils, emprunteur.

Depuis la Renaissance, les écrivains prennent pour modèle les Anciens (les auteurs grecs et latins) qu'ils admirent. Ainsi Molière a-t-il emprunté à Plaute le personnage de l'avare, contribuant de la sorte au développement d'un personnage littéraire type qui franchit les frontières et les siècles. Le nom d'Harpagon, choisi par Molière, est d'origine grecque ; il appartient à la même famille que le harpon, ce crochet qui permet de s'agripper ou de s'emparer d'un animal, d'un navire ennemi... Par la suite, ce nom propre rentrera dans notre lexique comme synonyme d'*avare*, de *pingre*, de *grippe-sou*. Comme le harpon auquel il est apparenté, notre Harpagon agrippe tout ce qui est à sa portée : il tient férocement à ce qui lui appartient et ne supporte pas la moindre dépense. La comédie et la fable en ont fait un personnage comique pour dénoncer ses excès. Le célèbre Scrooge, imaginé par Dickens, est ridicule lui aussi. Mais Balzac nous rappelle combien les avares font souffrir leur entourage, en imaginant le triste destin de la douce Eugénie Grandet, fille d'un richissime harpagon, ironiquement prénommé Félix, qui signifie « heureux » en latin.

1 Plaute, *La Marmite*

L'ancêtre d'Harpagon est né sous la plume de l'auteur latin Plaute. L'avare Euclion, au centre de la comédie intitulée *La Marmite (Aulularia)*, a trouvé, dans sa cheminée, une marmite remplie d'or cachée par son grand-père. Depuis ce moment-là, il est persuadé qu'on cherche à le voler. Il prépare le mariage de sa fille qu'un voisin a accepté d'épouser sans dot. Congrion est son cuisinier.

Acte III, scène 7

EUCLION, CONGRION

EUCLION, *seul*. J'ai voulu faire un effort, et me régaler pour la noce de ma fille. Je vais au marché ; je demande. Combien le poisson ? trop cher. L'agneau ? trop cher. Le bœuf ? trop cher. Veau, marée, charcuterie, tout est hors de prix. Impossible d'en approcher ; d'autant plus que je n'avais pas d'argent. La colère me prend, et je m'en vais, n'ayant pas le moyen d'acheter. Ils ont été ainsi bien attrapés, tous ces coquins-là. Et puis, dans le chemin, j'ai fait réflexion : quand on est prodigue[1] les jours de fête, on manque du nécessaire les autres jours ; voilà ce que c'est que de ne pas épargner. C'est ainsi que la prudence a parlé à mon esprit et à mon estomac ; j'ai fait entendre raison à la sensualité, et nous ferons la noce le plus économiquement possible. J'ai acheté ce peu d'encens et ces couronnes de fleurs ; nous les offrirons au dieu Lare[2], dans notre foyer, pour qu'il rende le mariage fortuné. Mais que vois-je ? ma porte est ouverte ! Quel vacarme dans la maison ! Malheureux ! est-ce qu'on me vole ?

CONGRION, *de l'intérieur de la maison*. Va demander tout de suite, chez le voisin, une plus grande marmite. Celle-ci est trop petite pour ce que je veux faire.

Notes

1. **prodigue** : généreux.

2. **Lare** : dieu domestique, protecteur de la maison.

EUCLION. Hélas! on m'assassine. On me ravit mon or, on cherche la marmite. Je suis mort, si je ne cours en toute hâte. Apollon, je t'en conjure, viens à mon secours. Perce de tes traits[1] ces voleurs de trésors : tu m'as déjà défendu en semblable péril. Mais je tarde trop. Courons, avant qu'on m'ait égorgé.

(Il entre chez lui.)

Plaute, *La Marmite,* traduction de J. Naudet, 1833.

Questions sur le texte ❶

A. Comment Plaute montre-t-il l'avarice d'Euclion dans cet extrait?

B. À quels passages de la pièce de Molière cette scène vous fait-elle penser?

❷ Ésope puis La Fontaine, « La Poule aux œufs d'or »

Dans ses *Fables*, La Fontaine cherche à donner des leçons de vie, à illustrer des maximes morales. Manifestant son admiration pour la littérature des Anciens, il s'inspire souvent, comme dans « La Poule aux œufs d'or », des fables attribuées au Grec Ésope.

La Poule aux œufs d'or

Un homme avait une belle poule qui pondait des œufs d'or. Croyant qu'elle avait dans le ventre une masse d'or, il la tua et la trouva semblable aux autres poules. Il avait espéré trouver la richesse d'un seul coup, et il s'était privé même du petit profit qu'il tenait.

Cette fable montre qu'il faut se contenter de ce qu'on a et éviter la cupidité insatiable.

Ésope, *Fables*, traduit par Émile Chambry, Les Belles Lettres, 1926.

Note

1. **traits :** flèches.

La Poule aux œufs d'or

L'avarice perd tout en voulant tout gagner.
Je ne veux, pour le témoigner,
Que celui dont la Poule, à ce que dit la Fable,
Pondait tous les jours un œuf d'or.
Il crut que dans son corps elle avait un trésor.
Il la tua, l'ouvrit, et la trouva semblable
À celles dont les œufs ne lui rapportaient rien,
S'étant lui-même ôté le plus beau de son bien.
Belle leçon pour les gens chiches[1] :
Pendant ces derniers temps, combien en a-t-on vus
Qui du soir au matin sont pauvres devenus
Pour vouloir trop tôt être riches ?

La Fontaine, *Fables*, livre I, 1668.

Questions sur les textes ❷

A. En quoi peut-on dire que le personnage imaginé par Ésope n'est jamais heureux ? Quelle est la leçon de la fable concernant le bonheur ?

B. Dans un tableau, présentez les ressemblances et les différences entre la fable d'Ésope et celle de La Fontaine.

③ Honoré de Balzac, *Eugénie Grandet*

Dans *La Comédie humaine*, une grande fresque romanesque composée de plus de 90 ouvrages, Balzac cherche non seulement à représenter la société de son temps, mais aussi à décrire tous les traits de caractère du genre humain.

Note | 1. chiches : avares.

Dans *Eugénie Grandet*, roman paru en 1833, il reprend, sur le mode tragique, le personnage type de l'avare. Le père d'Eugénie, un riche et pingre vigneron de Saumur, se voit obligé d'accueillir Charles, son neveu de Paris.

Muni de ses clefs, le bonhomme était venu pour mesurer les vivres nécessaires à la consommation de la journée.

— Reste-t-il du pain d'hier ? dit il à Nanon[1].

— Pas une miette, monsieur.

Grandet prit un gros pain rond, bien enfariné, moulé dans un de ces paniers plats qui servent à boulanger en Anjou, et il allait le couper, quand Nanon lui dit :

— Nous sommes cinq, aujourd'hui, monsieur.

— C'est vrai, répondit Grandet, mais ton pain pèse six livres, il en restera. D'ailleurs, ces jeunes gens de Paris, tu verras que ça ne mange point de pain.

— Ça mangera donc de la frippe, dit Nanon.

En Anjou, la *frippe*, mot du lexique populaire, exprime l'accompagnement du pain, depuis le beurre étendu sur la tartine, frippe vulgaire, jusqu'aux confitures d'halleberge[2], la plus distinguée des frippes ; et tous ceux qui, dans leur enfance, ont léché la frippe et laissé le pain comprendront la portée de cette locution[3].

— Non, répondit Grandet, ça ne mange ni frippe ni pain. Ils sont quasiment comme des filles à marier.

Enfin, après avoir parcimonieusement ordonné le menu quotidien, le bonhomme allait se diriger vers son fruitier[4], en fermant néanmoins les armoires de sa *Dépense*[5], lorsque Nanon l'arrêta pour lui dire :

Notes

1. **Nanon** : domestique de la famille Grandet.
2. **halleberge** : alberge, fruit entre la pêche et l'abricot.
3. **locution** : expression.

4. **fruitier** : lieu où sont conservés les fruits.
5. *Dépense* : lieu où sont entreposées les provisions.

— Monsieur, donnez-moi donc alors de la farine et du beurre, je ferai une galette aux enfants.

— Ne vas-tu pas mettre la maison au pillage à cause de mon neveu ?

— Je ne pensais pas plus à votre neveu qu'à votre chien, pas plus que vous n'y pensez vous-même. Ne voilà-t-il pas que vous ne m'avez *aveint*[1] que six morceaux de sucre, m'en faut huit.

— Ha ! çà, Nanon, je ne t'ai jamais vue comme ça. Qu'est-ce qui te passe donc par la tête ? Es-tu la maîtresse ici ? Tu n'auras que six morceaux de sucre.

— Eh bien ! votre neveu, avec quoi donc qu'il sucrera son café ?

— Avec deux morceaux ; je m'en passerai, moi.

— Vous vous passerez de sucre, à votre âge ! J'aimerais mieux vous en acheter de ma poche.

— Mêle-toi de ce qui te regarde.

Malgré la baisse du prix, le sucre était toujours, aux yeux du tonnelier, la plus précieuse des denrées coloniales, il valait toujours six francs la livre pour lui. L'obligation de le ménager, prise sous l'Empire, était devenue la plus indélébile de ses habitudes. Toutes les femmes, même la plus niaise, savent ruser pour arriver à leurs fins : Nanon abandonna la question du sucre pour obtenir la galette.

— Mademoiselle, cria-t-elle par la croisée, est-ce pas que vous voulez de la galette ?

— Non, non, répondit Eugénie.

— Allons, Nanon, dit Grandet en entendant la voix de sa fille, tiens. Il ouvrit la *mette*[2] où était la farine, lui en donna une mesure, et ajouta quelques onces[3] de beurre au morceau qu'il avait déjà coupé.

1. *aveint* : donné.
2. *mette* : coffre qui contient des provisions.
3. 1 once équivaut environ à 30 g.

— Il faudra du bois pour chauffer le four, dit l'implacable[1] Nanon.

— Eh bien! tu en prendras à ta suffisance, répondit-il mélan-coliquement, mais alors tu nous feras une tarte aux fruits et tu nous cuiras au four tout le dîner; car ainsi tu n'allumeras pas deux feux.

— Quien![2] s'écria Nanon, vous n'avez pas besoin de me le dire.

Grandet jeta sur son fidèle ministre un coup d'œil presque paternel.

— Mademoiselle, cria la cuisinière, nous aurons une galette.

Le père Grandet revint chargé de ses fruits et en rangea une première assiettée sur la table de la cuisine.

— Voyez donc, monsieur, lui dit Nanon, les jolies bottes qu'a votre neveu. Quel cuir, et qui sent bon. Avec quoi que ça se nettoie donc? Faut-il y mettre de votre cirage à l'œuf?

— Nanon, je crois que l'œuf gâterait ce cuir-là. D'ailleurs, dis-lui que tu ne connais point la manière de cirer le maro-quin[3]; oui, c'est du maroquin; il achètera lui-même à Sau-mur et t'apportera de quoi illustrer[4] ses bottes. J'ai entendu dire qu'on fourre du sucre dans leur cirage pour le rendre brillant.

Honoré de Balzac, *Eugénie Grandet*, 1833.

Questions sur le texte ❸

A. Relevez les passages qui montrent l'avarice de Félix Grandet.

B. Peut-on dire que l'avare n'éprouve aucun sentiment pour sa fille Eugénie? Justifiez votre réponse en citant le texte.

Notes

1. **implacable** : dépourvue de pitié.
2. **Quien!** : exclamation populaire.
3. **maroquin** : peau de chèvre utilisée pour des articles de luxe.
4. **illustrer** : faire briller.

4) Charles Dickens, *Cantique de Noël* (1843)

Charles Dickens (1812-1870) est un grand romancier anglais qui a dénoncé la misère et défendu la cause des enfants. Ebenezer Scrooge, le personnage qu'il a imaginé pour un conte de Noël, est, sans conteste, l'avare le plus connu de la littérature anglophone. Hargneux et pingre, il va recevoir successivement la visite des fantômes des Noëls passés, présent et à venir qui lui montrent à quel point il s'est mal conduit. Dickens nous le présente tout d'abord dans son bureau.

La porte du comptoir de Scrooge demeurait ouverte, afin qu'il pût avoir l'œil sur son commis qui se tenait un peu plus loin dans une petite cellule triste, sorte de citerne sombre, occupé à copier des lettres. Scrooge avait un très petit feu, mais celui du commis était beaucoup plus petit encore : on aurait dit qu'il n'y avait qu'un seul morceau de charbon. Il ne pouvait l'augmenter, car Scrooge gardait la boîte à charbon dans sa chambre, et toutes les fois que le malheureux entrait avec la pelle, son patron ne manquait pas de lui déclarer qu'il serait forcé de le quitter. C'est pourquoi le commis mettait son cache-nez blanc et essayait de se réchauffer à la chandelle ; mais comme ce n'était pas un homme de grande imaginative[1], ses efforts demeuraient superflus.

« Je vous souhaite un gai Noël, mon oncle, et que Dieu vous garde ! » cria une voix joyeuse.

C'était la voix du neveu de Scrooge, qui était venu le surprendre si vivement qu'il n'avait pas eu le temps de le voir.

« Bah ! grogna Scrooge, sottise ! »

Il s'était tellement échauffé dans sa marche rapide par ce temps de brouillard et de gelée, le neveu de Scrooge, qu'il en était tout en feu ; son visage était rouge comme une cerise, ses

Note
1. **imaginative :** imagination.

yeux étincelaient, et la vapeur de son haleine était encore toute fumante.

«Noël, une sottise, mon oncle! dit le neveu de Scrooge; ce n'est pas là ce que vous voulez dire sans doute?

– Si fait, répondit Scrooge. Un gai Noël! Quel droit avez-vous d'être gai? Quelle raison auriez-vous de vous livrer à des gaietés ruineuses? Vous êtes déjà bien assez pauvre!

– Allons, allons! reprit gaiement le neveu, quel droit avez-vous d'être triste? Quelle raison avez-vous de vous livrer à vos chiffres moroses? Vous êtes déjà bien assez riche!

– Bah! dit encore Scrooge qui, pour le moment, n'avait pas une meilleure réponse prête; et son bah! fut suivi de l'autre mot : sottise!

«Ne soyez pas de mauvaise humeur, mon oncle, fit le neveu.

– Et comment ne pas l'être, repartit l'oncle, lorsqu'on vit dans un monde de fous tel que celui-ci? Un gai Noël! Au diable vos gais Noëls! Qu'est-ce que Noël, si ce n'est une époque pour payer l'échéance de vos billets[1], souvent sans avoir d'argent? un jour où vous vous trouvez plus vieux d'une année et pas plus riche d'une heure? un jour où, la balance de vos livres établie, vous reconnaissez, après douze mois écoulés, que chacun des articles qui s'y trouvent mentionnés vous a laissé sans le moindre profit? Si je pouvais en faire à ma tête, continua Scrooge d'un ton indigné, tout imbécile qui court les rues avec un gai Noël sur les lèvres serait mis à bouillir dans la marmite avec son propre pouding et enterré avec une branche de houx au travers du cœur. C'est comme ça.

[…]»

Charles Dickens, *Cantique de Noël*,
traduit de l'anglais sous la direction de P. Lorain, Hachette, 1879.

Note

1. **billets** : papiers sur lesquels le prêteur a noté la somme que l'emprunteur lui doit.

Questions sur le texte ❹

A. Comment s'exprime le *« ton indigné »* de Scrooge?

B. Pourquoi l'avare est-il de *« mauvaise humeur »*?

Harpagon et sa raison de vivre : *« Ma chère cassette »,*
« Mon support, ma consolation, ma joie » (IV, 7).
Michel Aumont est Harpagon.

Source de comique et cible de la satire, l'avare des comédies antiques est l'ancêtre de nombreux personnages littéraires que l'on retrouve au cinéma ou en bande dessinée.

DES AVARES CÉLÈBRES

Avec Harpagon chez Molière et Shylock chez William Shakespeare, l'un des avares les plus célèbres est sûrement Scrooge, le héros de Charles Dickens (*cf.* p. 168) ; il a inspiré Balthazar Picsou (en anglais : Scrooge McDuck). « Le canard le plus riche du monde » est né en 1947 sous la plume de Carl Barks (1901-2000). Ce dessinateur a travaillé pour Walt Disney à partir de 1935.

Scrooge dans le film de B. D. Hurst (*A Christmas Carol*, 1951).

Au Québec, Séraphin Poudrier, le héros du roman *Un homme et son péché* écrit par Claude-Henri Grignon en 1933, est, lui aussi, un avare très célèbre : usurier sans pitié, il tyrannise tout son village, y compris sa femme Donalda, qu'il aime pourtant. On ne compte pas les adaptations de ce roman : cinéma, télévision, théâtre, bande dessinée...

DE FUNÈS ET L'AVARICE

Sans s'écarter du texte, l'adaptation au cinéma de *L'Avare* (1980) par Jean Girault et Louis de Funès, avec ce dernier dans le rôle d'Harpagon, insiste surtout sur l'aspect comique de la pièce. Les mimiques de l'acteur nous permettent d'imaginer la façon dont Molière devait tenir le rôle.

Donneau de Visé écrit dans son *Oraison funèbre de Molière* : « *Il était tout comédien depuis les pieds jusqu'à la tête ; il semblait qu'il eût plusieurs voix ; tout parlait en lui.* »

Les témoins de l'époque rapportent, en effet, que Molière, dans la tradition du théâtre italien, aimait à exagérer sur scène le ridicule des personnages qu'il incarnait.

Christian Clavier, avare moderne, dans le film *La Soif de l'or* de Gérard Oury (1993).

Déjà en 1971, Louis de Funès avait incarné un avare dans *La Folie des grandeurs* de Gérard Oury, une version comique de *Ruy Blas*, le drame romantique de Victor Hugo. De Funès y tient le rôle de Don Salluste, ministre des Finances du roi d'Espagne, qui aime l'or et profite de sa fonction pour s'enrichir. Écarté du pouvoir, il tente de faire passer son valet Blaze (Yves Montand) pour un noble qui devra séduire la reine.

SUR LA TOILE

Sur le site de l'INA (Ina.fr), on peut visionner le début de la mise en scène de Jean-Paul Roussillon pour la Comédie-Française, une présentation de la mise en scène de Pierre

Franck, avec Michel Bouquet dans le rôle d'Harpagon, et celle, résolument moderne, d'Andrei Serban.

Très accessible et très complet, le site toutmoliere.com propose les textes des pièces, des notices explicatives et des documents iconographiques intéressants.

UN FILM CULTE : *MOLIÈRE* (1978)

Le film réalisé par Ariane Mnouchkine nous fait découvrir les différents talents du dramaturge, mais aussi la France du XVIIe siècle, dans les campagnes et à la Cour.

> « Ne faites donc pas comme l'avare, qui perd beaucoup pour ne vouloir rien perdre. »
>
> Jean-Jacques Rousseau.

LE ROMAN DE BOULGAKOV

L'écrivain russe d'origine ukrainienne Mikhaïl Boulgakov a écrit, en 1933, *Le Roman de Monsieur de Molière*. Dans un style vivant, il nous raconte la vie de Molière, de sa naissance à sa mort ; on y respire l'atmosphère dans laquelle ont été écrites les plus grandes comédies du théâtre français : « *Dans les premiers jours de l'année 1643, [...] Jean-Baptiste parut devant son père et déclara que tous ces projets visant à l'enrôler dans la corporation des avocats étaient du délire pur et simple, que jamais de sa vie il ne serait notaire [...] et surtout qu'il ne voulait pas entendre parler de commerce de tapisserie. Il irait là où l'attirait depuis son enfance sa vocation, c'est-à-dire qu'il serait acteur* » (Gallimard, 1993).

CONSEILS de LECTURE

- Molière met souvent en scène des pères avares : *Le Médecin malgré lui*, *Les Fourberies de Scapin*, *Le Malade imaginaire*.
- Dans le théâtre contemporain, on retrouve un avare ridicule avec le Président, un des personnages d'*Hôtel des deux mondes* d'Éric-Emmanuel Schmitt (« Le Livre de Poche », L.G.F., 2015).
- Dans le roman, l'avarice n'a rien de comique ; elle détruit tragiquement les personnages : Honoré de Balzac, *Eugénie Grandet*.
- Et pour situer Molière dans le contexte artistique du XVIIe siècle : Christian Biet, *Les Miroirs du Soleil : le roi Louis XIV et ses artistes*, « Découvertes Gallimard », Gallimard, 1989.

Dans la même collection

Dans la même collection (suite et fin)